ДЕТСКАЯ ЭНЦИКЛОПЕДИЯ
·МАХАОН·

УДК 087.5
ББК 63.3(0)3я2
Ц57

Автор текста
Франсуаза Перруден

Разработка проекта
Эмили Бомон

Художники
Мари-Кристин Лемайор, Бернар Алюни

Перевод с французского
Юрий Гусев

Редактор русского издания
Ольга Красновская

Технический редактор
Татьяна Андреева

Корректоры
Наталья Соколова, Татьяна Филиппова,
Татьяна Чернышева

Верстка
Ирина Гортинская

Печатается по изданию:
Imagia. Decouverte du monde
Civilisations anciennes.
Éditions FLEURUS,
15-27, rue Moussorgski, 75018 Paris

ISBN 978-5-389-07560-3

ЦИВИЛИЗАЦИИ
ДРЕВНЕГО МИРА

Москва
«Махаон»
2015

Месопотамия

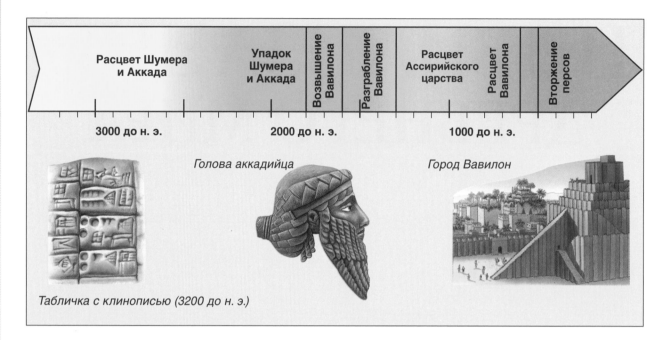

Расцвет Шумера и Аккада

Упадок Шумера и Аккада

Возвышение Вавилона

Разграбление Вавилона

Расцвет Ассирийского царства

Расцвет Вавилона

Вторжение персов

3000 до н. э.

2000 до н. э.

1000 до н. э.

Голова аккадийца

Город Вавилон

Табличка с клинописью (3200 до н. э.)

Самые ранние цивилизации возникли на Ближнем Востоке. 6500 лет назад на плодородной долине рек Тигр и Евфрат сформировался очаг мировой культуры, названный греками Месопотамия. Ее жители – шумеры, вавилоняне, сирийцы, персы, аккадийцы – жили в городах, строили огромные храмы, умели писать.

История начинается с Шумера

Шумеры в Месопотамии поселились около 3600 г. до н. э. Они создали могущественное государство, построили хорошо укрепленные города, сложную систему орошения. В северной части Месопотамии начиная с первой половины III тысячелетия до н. э. жили семитские племена. Самым древним городом, основанным семитами в Месопотамии, был Аккад, позднее столица государства с тем же названием. Около 2334 г. до н. э. царем Аккада стал Саргон Древний. Он завоевал города шумеров и создал империю, единство которой держалось на силе армии.

Эпоха вавилонян

Другим семитским народом, оставившим заметный след в истории Месопотамии, были амориты. Они создали несколько сильных династий, среди них – I Вавилонская, наиболее знаменитым правителем которой был Хаммурапи. Завоевав земли Шумера и Аккада, он объединил их в мощное царство. Его столицей стал величественный Вавилон.

Эпоха ассирийцев

В северной части Месопотамии еще в III тысячелетии до н. э. возникло Ассирийское царство с центром в городе Ашшур. В IX в. до н. э. ассирийские цари завоевали южные царства, а к VII в. до н. э. их империя простиралась от Персидского залива до Египта.

Закат

В 539 г. до н. э. и персидский царь Кир II овладел Вавилоном. В XX в. н. э. археологи начали восстановление облика ушедших цивилизаций этого региона.

Земля между реками

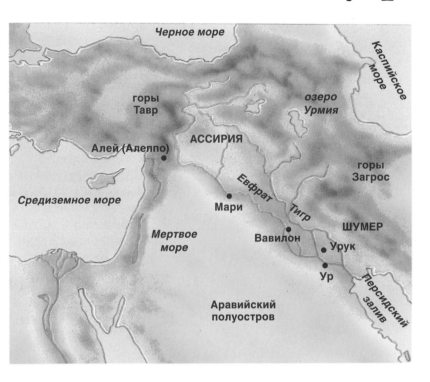

Священные реки

Крупнейшие очаги древних цивилизаций формировались там, где люди находили много воды и плодородные земли. Жители Месопотамии почитали Тигр и Евфрат как божества. От их разливов зависела судьба урожаев, им поклонялись и приносили жертвы. Иногда к ним обращались даже за правосудием. Подозреваемого в совершении преступления бросали в воды священной реки. Если он тонул, его вина считалась доказанной; если же сумел выплыть, его признавали невиновным.

Месопотамия по-гречески означает «земля между реками», «междуречье». Территория Месопотамии по форме напоминает треугольник, одна вершина которого находится в устье рек Тигр и Евфрат, две другие – у города Алеппо и озера Урмия. Значительная часть Месопотамии совпадает с территорией современного Ирака.

Одним из самых важных достижений древних цивилизаций Месопотамии была ирригация. Земледельцы рыли каналы для орошения полей и отводили воду из рек в водохранилища, чтобы запасти ее на случай засухи.

Реки-благодетельницы

Евфрат (2780 км) и Тигр (1950 км) берут начало на Армянском нагорье и впадают в Персидский залив. Во время обильных дождей в горах Тавр и Загрос реки выходили из берегов и затопляли прибрежные равнины. После паводка оставался особенно плодородный слой почвы. На широких плодородных долинах земледельцы выращивали ячмень, просо, а на юге – финиковые пальмы. Пастбища близлежащих гор позволяли содержать стада овец и коз. В реках было много рыбы. Тигр и Евфрат оказались удобными водными путями. За пределами этих плодородных земель находились пустыни и полупустыни, где жили племена кочевников-скотоводов.

Прекрасный Вавилон

Зиккураты символизировали связь между небом и землей.

Город-крепость

При Навуходоносоре Вавилон окружили огромной внешней стеной шириной 6 м и длиной 18 км. Была возведена и внутренняя стена с восемью воротами. Самые величественные – ворота богини Иштар. Огромный семиярусный зиккурат с храмом Мардука на вершине царил над городом на высоте 90 м. Удивительной красоты царский дворец, храмы, знаменитые Висячие сады, мост через Евфрат длиной 115 м – все это делало Вавилон неподражаемым.

Ворота Иштар, покрытые синей глазурью и украшенные 575 изображениями быков, служили для торжественных процессий.

В XVIII в. до н. э. Вавилон стал столицей империи царя Хаммурапи. Многие годы город был культурным центром Востока, но нашествия хеттов, ассирийцев почти уничтожили его. При Навуходоносоре (VI в. до н. э.) он обрел былое величие, и не было города, равного Вавилону по богатству и великолепию.

Бог вавилонян

Верховное божество вавилонян – Мардук. Царь Вавилона, вступив на трон, прежде всего посещал храм Мардука и прикасался рукой к его статуе. Это означало, что свою власть правитель получает от бога.

Что такое зиккурат?

Зиккураты – массивные ступенчатые сооружения с храмом на вершине – возводили еще в древнем Шумере. Террасы окрашивали в разные цвета, обозначавшие подземный мир, видимый мир и мир небесный. Вавилонский зиккурат стал прообразом библейской Вавилонской башни. С вершины зиккурата наблюдали за звездами.

Религия

Жители Месопотамии верили, что существует сверхъестественный, невидимый «верхний» мир, управляющий их жизнью. Этот мир населен сотнями богов, у которых, как и у людей – обитателей «нижнего» мира, есть хорошие и дурные черты. Но все боги обладают нечеловеческой силой, неземной красотой, а главное, бессмертием.

Равны ли боги?

Шумеры почитали многих богов, которые, по их представлениям, ведали разными сторонами жизни. Первоначально у каждого города был свой бог-покровитель. Горожане ублажали богов, опасаясь, что те нашлют болезни и бедствия. В конце III тысячелетия до н. э., в эпоху политического объединения шумерских городов, сложился общий пантеон богов. Первое место отводилось Ану – отцу богов и богу неба. Его сын Энлиль был богом земли и воздуха. Во времена Хаммурапи Энлиль уступил место богу Мардуку. Бог Энки (Эйя), хозяин вод и бог-творец, создал человека и покровительствовал ему.

Жители Месопотамии, надеясь добиться благосклонности богов, выполняли священные обряды. Не было таких сокровищ, которые они пожалели бы принести в жертву богам, чтобы заслужить их милость.

Поклонение богам

Народы Месопотамии полагали, что все, что происходит на земле, происходит по воле богов. Для того чтобы умилостивить богов или смягчить их гнев, необходимо было строить храмы, дарить украшения, пищу, совершать жертвоприношения, возносить молитвы. Посредниками между богами и людьми выступали жрецы. Культовые обряды совершались в храмах обязательно под руководством жрецов.

Жрецы приносят в жертву богам барана. Возможно, они будут гадать по его внутренностям.

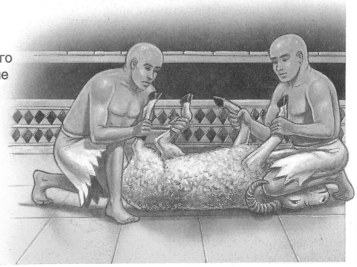

Эпос о Гильгамеше

Энкиду и Гильгамеш одолевают Хумбабу.

Огромная поэма о Гильгамеше на аккадском языке была создана в III тысячелетии до н. э. Она повествует о подвигах молодого царя, о поиске вечной жизни.

Кто такой Гильгамеш?

Гильгамеш, царь шумерского города Урука в XXVII–XXVI вв. до н. э., в поэме предстает как сын богини и полубога. Храбрец и силач, он считал себя непобедимым.

Энкиду, сотворенный богами

Боги хотели проучить гордеца и создали воина Энкиду – соперника, равного ему по силе. Гильгамеш решил сразиться с ним. Но ни тот ни другой не смогли одержать победу, и бывшие противники стали друзьями. Бросая вызов опасности, они проникли в волшебный кедровый лес, куда запрещено ступать смертным. Стражем леса был великан Хумбаба, «великое зло» в ярости, но Гильгамеш и Энкиду убили его.

Наказание

Богиня Иштар, потрясенная красотой Гильгамеша, влюбилась в него, но Гильгамеш отверг ее любовные притязания. Рассерженная богиня наслала на Урук небесного быка. Гильгамеш и Энкиду убили чудовище. Это разгневало богов, и они забрали жизнь Энкиду. Потрясенный гибелью друга, Гильгамеш решил узнать тайну бессмертия.

Стал ли Гильгамеш бессмертным?

Гильгамеш отправился на поиски Ут-напишти – предка всех людей, желая узнать, как тот получил бессмертие. Ут-напишти посоветовал ему не страшиться смерти и открыл тайну цветка вечной молодости. На обратном пути Гильгамеш с трудом добыл цветок, но не успел им воспользоваться. Пока он плавал в реке, цветок утащила змея. Тотчас она сбросила кожу и помолодела, а люди навсегда потеряли надежду стать бессмертными.

Начало письменности

Клинопись

Шумерское письмо называют клинописью. Записи делали на глиняных дощечках. Знаки наносили тростниковой палочкой, которую поворачивали под углом и вдавливали во влажную глину. Получившиеся знаки состояли из характерных клинообразных черточек, отсюда и название «клинопись». Дощечки с нанесенными на них знаками высушивали на солнце, а в особых случаях – обжигали в печи. Писать умели только специально обученные писцы.

Важным изобретением шумеров считается создание письма примерно в 3200 г. до н. э. Это было вызвано необходимостью учитывать имущество и регистрировать торговые операции. Писцы вели учет на табличках из сырой глины. Предметы рисовали клиновидной палочкой. Постепенно эти пиктограммы превратились в знаки письма.

Писец пишет заостренной палочкой на глиняной табличке.

Глиняные шарики

Шумерские купцы отправляли свои товары, прилагая к ним полые глиняные шарики размером с теннисный мяч. В каждом шарике количество камешков соответствовало количеству товара. Например, партию из десяти баранов обозначали десятью круглыми камешками. Когда товар прибывал на место, глиняный шарик разбивали и камешки пересчитывали. Со временем шумеры стали изображать на поверхности шарика знаки, которые показывали, о каком товаре идет речь. Так родилась письменность. Шарики с камешками заменили глиняной табличкой. Первые знаки шумерского письма представляли собой схематические изображения предметов. Позже появились рисунки, обозначающие слоги и отдельные звуки. В дальнейшем шумерское письмо было приспособлено для аккадского, хеттского и других языков.

От фараонов до римлян

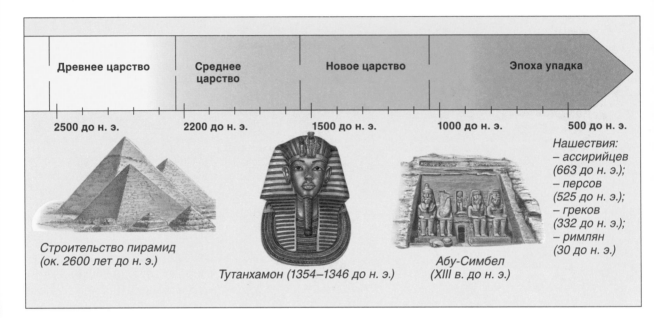

| Древнее царство | Среднее царство | Новое царство | Эпоха упадка |

2500 до н. э.　　　2200 до н. э.　　　1500 до н. э.　　　1000 до н. э.　　　500 до н. э.

Строительство пирамид (ок. 2600 лет до н. э.)

Тутанхамон (1354–1346 до н. э.)

Абу-Симбел (XIII в. до н. э.)

Нашествия:
– ассирийцев (663 до н. э.);
– персов (525 до н. э.);
– греков (332 до н. э.);
– римлян (30 до н. э.)

Древнеегипетская цивилизация – одна из самых длительных в истории человечества – насчитывает около трех тысячелетий. За это время страной правили 30 династий фараонов, а самих фараонов было более 200.

От Менеса до Клеопатры

Менес, первый упоминаемый в исторических документах фараон, получил трон около 3000 лет до н. э. Он объединил Верхний (Южный) и Нижний (Северный) Египет в единое царство. Все фараоны после него носили либо белую корону, символизирующую Верхний Египет, либо красную, обозначающую Нижний Египет, либо двуцветную, символизирующую союз двух царств. Последней царицей Египта, перед завоеванием его в I в. до н. э. римлянами, была Клеопатра. Исто-рики делят династический период истории Египта на три эпохи расцвета и переходные периоды между ними, когда страну сотрясали междоусобные войны и многочисленные нашествия других народов.

Древнее царство (2658–2150 до н. э.)

Эпоха стабильности, благоденствия и могущества. Она ознаменовалась необычайным развитием архитектуры. В это время были возведены почти все пирамиды, включая пирамиды в Гизе, которые назвали одним из чудес света. Столицей страны был Мемфис. Древнее царство погубили междоусобицы.

Среднее царство (2100–1750 до н. э.)

Эпоха войн и завоеваний. Главное приобретение – Нубия. Столица переведена в Фивы.

Новое царство (1550–1076 до н. э.)

Эпоха наивысшего расцвета древнеегипетской цивилизации. Территория страны никогда не была такой большой, торговля – такой оживленной. Фараоны Нового царства построили грандиозные храмы (в Карнаке, Луксоре и Абу-Симбеле). В этот период правили царица Хатшепсут, единственная женщина-фараон, Тутанхамон, Рамсес II. Затем начался период заката древнеегипетской цивилизации.

Нил и пустыня

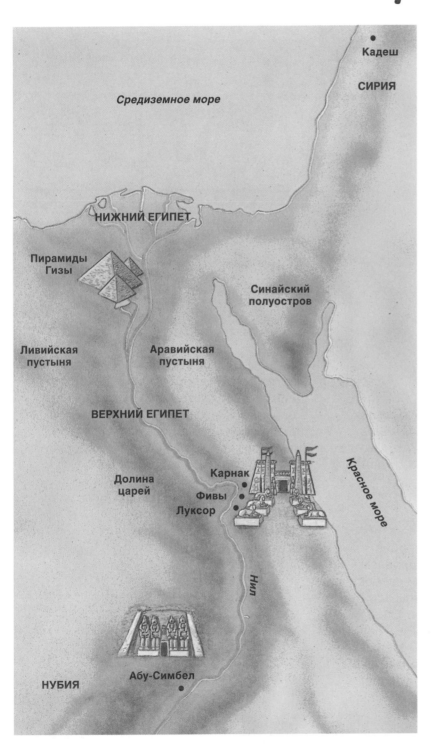

Долина Нила напоминает вытянутый оазис среди бескрайних пустынь. Много тысячелетий назад племена охотников забрели в эти места и нашли там изобилие зверей, птиц, рыбы и постоянный источник воды.

Источник жизни

Цивилизация древних египтян сложилась благодаря великой реке – она давала пищу, воду, служила транспортной артерией. Египтяне обожествляли Нил, от которого зависела их жизнь. Новый год начинался с его разлива. Причиной разливов были дожди, выпадавшие каждую весну в горах, где находится исток реки. После паводка на полях оставался слой плодородного ила. Крестьяне рыли оросительные каналы, чтобы подвести воду к полям, и устраивали водохранилища, запасая воду. Они выращивали ячмень, пшеницу, овощи, фрукты, лен. Плодородная земля приносила такие урожаи, что египтяне продавали излишки в другие страны.

Богатства пустыни

Пустыня служила естественным оборонительным рубежом. Кроме того, в пустыне добывали драгоценные металлы и камни.

11

Боги Древнего Египта

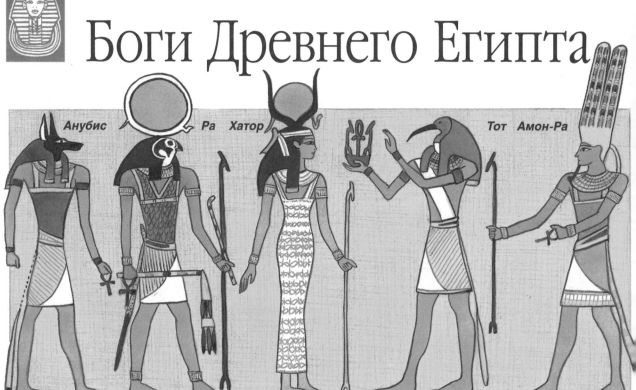

Анубис   Ра Хатор   Тот Амон-Ра

Египетский пантеон насчитывал не одну сотню богов, и на самом деле очень трудно разобраться, кто есть кто. В каждой общине был свой бог. На разных этапах истории те или иные боги становились главными – в зависимости от того, какого бога почитали в городе, который в данный период был столицей Египта.

Как почитать стольких богов?

Боги сотворили мир и отвечали за все на свете: за разливы Нила, за плодородие земли, а также за жизнь в потустороннем мире, которой египтяне придавали особое значение. Среди наиболее известных богов, которых одинаково чтили по всему Египту, особое место занимали Амон-Ра – бог солнца, царь богов, принимавший различные образы, Анубис – бог царства мертвых, Бастет – богиня радости, музыки и танца, и Бэс – покровитель семьи и материнства. Важное место в верованиях египтян занимал Осирис, покровительствовавший земледелию.

На кого похожи боги?

Многих богов изображали в облике священных животных: Анубис изображался в виде шакала или человека с головой шакала, Бастет – в виде кошки, Хатор – богиня неба – в виде женщины с коровьими рогами и солнечным диском между ними. Изогнутый клюв ибиса похож на серп луны. Возможно, поэтому птица стала символом бога луны и мудрости Тота. Он открыл египтянам тайны письма, медицины, счета, летосчисления.

Бэса изображали в виде кривоногого хвостатого карлика. Считалось, что его уродство отпугивает злых духов.

Легенда об Осирисе

Исида   Осирис   Гор

Был ли отомщен Осирис?
Сын Осириса, Гор, бог с головой сокола, в беспощадном поединке победил Сета и оживил отца. Но Осирис не остался на земле, а спустился в царство мертвых, где стал верховным владыкой и судьей. Гор унаследовал власть Осириса на земле.

Исиду и Осириса древние египтяне чтили очень высоко. Исида помогала рождению любого живого существа, она олицетворяла материнство. Осирис, бог мертвых, был особо почитаем потому, что после смерти каждый представал перед его судом.

Как гласит легенда, Осирис – старший сын богини неба Нут и бога земли Геба – был царем Египта. Он отучил людей от людоедства, научил их сеять зерно, выпекать хлеб, добывать и обрабатывать медь и золото, учредил культ богов и заслужил имя «бог навечно».

Анубис, бог с головой шакала, покровительствовал бальзамировщикам.

Что же с ним такое случилось?
Осирис унаследовал трон бога Геба и титул верховного владыки земли. Однако брат Осириса Сет, задумал убить его и стать земным владыкой. Однажды во время пира он уговорил гостей по очереди ложиться в роскошно украшенный ящик. Когда очередь дошла до Осириса, Сет захлопнул крышку, залил ящик свинцом и бросил в Нил. По другому мифу, Сет разрубил тело Осириса на четырнадцать частей и разбросал по всему Египту. Исида, жена Осириса, и ее сестра Нефтида собрали все части тела и с помощью Анубиса, бога бальзамирования, и Тота, бога-целителя, соединила их и сделала из умершего мужа первую мумию. Исида чудесным образом извлекла скрытую в нем жизненную силу и зачала сына Гора.

Фараоны

Высшее существо

Древние египтяне считали фараона сыном Ра, бога солнца. Избранный богами для того, чтобы царствовать на земле, фараон сам становился подобен богу. Ему принадлежали все обрабатываемые земли, каменоломни, золотые и медные рудники.

Обязанности фараона

Как глава государства, фараон руководил правосудием и армией, принимал иноземных послов. Во время больших праздников он лично выполнял храмовые ритуалы. В управлении ему помогали два наместника и целая армия чиновников, жрецов и писцов.

Фараон был не только самым главным и могущественным человеком в Египте. Он являлся вождем и покровителем своего народа, верховным жрецом, верховным военачальником и верховным политиком. Его личность обожествлялась.

Бог или человек?

Фараон был богом на земле и богом после смерти. Завидя его, египтяне тут же падали ниц, демонстрируя свой страх и почтение.

Фараон никогда не появлялся перед людьми с непокрытой головой. Он мог надеть корону Верхнего Египта (1), Нижнего Египта (2), двойную корону (3), шлем военачальника (4) или царский головной убор (5). Фараон носил знаки, которые символизировали его власть, – скипетр и бич. Он воплощал в себе силу, красоту и достоинство.

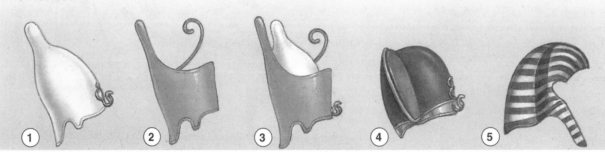

① ② ③ ④ ⑤

Рамсес II, Великий

Рамсес II в битве при Кадеше

Рамсес II – третий царь из династии Рамсесов – правил с 1304 по 1236 г. до н. э. Благодаря удачным военным походам и строительству храмов он стал самым известным фараоном эпохи Нового царства.

Был ли он великим полководцем?

Длительное царствование Рамсеса II было сравнительно мирным. Опираясь на успехи, достигнутые его отцом, Сети I, Рамсес стремился вернуть Египту былую славу. В начале своего правления он предпринял два военных похода против хеттов – в то время наиболее могущественного народа в Западной Азии. Второй из них завершился битвой при Кадеше. Она стала главным предметом гордости Рамсеса, хотя в этом сражении не было победителей и Рамсесу пришлось заключить с хеттами договор – первый из известных в истории, в котором новая азиатская держава признавалась равной Египту. Однако этот договор позволил Египту 40 лет жить в мире.

Был ли он великим строителем?

Рамсес остался в истории Египта как один из великих строителей, и едва ли в стране найдется хотя бы один город, не украшенный возведенным им храмом. В Абу-Симбеле, в Нубии, Рамсес II построил два великолепных храма. Тот, что поменьше, был воздвигнут в честь его супруги, царицы Нефертари. Большой же – в честь богов Амона, Ра и в честь самого Рамсеса II. Вход в этот храм поддерживали четыре колоссальные (высотой более 20 м) статуи фараона.

Прекрасно сохранившаяся мумия

Рамсес II был погребен в гористой, пустынной местности – Долине царей. Гробница его была разграблена. Но в 1050 г. до н. э. жрецы спрятали его мумию. Она была найдена археологами лишь в конце XIX в. Тщательное изучение мумии позволило выяснить, что у Рамсеса II были рыжие волосы, очень плохие зубы и сгорбленная спина. Ничего удивительного, ведь он умер в 80 лет!

Храм – дом бога

Нет. Египтяне имели право оставлять свои дары лишь у внешних стен храма. Изредка, во время больших религиозных праздников, статую бога переносили на большую лодку и везли по Нилу к какому-нибудь другому храму. Но и в этом случае она была скрыта под покрывалами.

Громадные, великолепно украшенные храмы считали земными жилищами богов. Многие храмы сохранились до наших дней.

Храм – это «дом» бога. Там находилась его статуя, считавшаяся земной оболочкой высших сил. Это место было закрыто для непосвященных. Только царь и избранные жрецы имели доступ в святая святых храма.

Священные ритуалы

Фараон считался главным жрецом каждого храма, но культовые обряды выполняли верховные жрецы. Лишь они могли войти в наос – маленькое святилище, где находилась статуя божества. Сопровождаемый служителями с кадильницами и сосудами с водой из священного озера верховный жрец входил туда со словами: «Я чист». Статую умывали, одевали и ставили перед ней пищу. Покидая святилище, жрецы пятясь подметали пол, уничтожая таким образом свои следы. Должность верховного жреца передавалась по наследству.

Царица приносит в храм дары.

Для чего совершались жертвоприношения?

Египтяне верили, что если все ритуалы будут выполнены, то равновесие в мире сохранится и бог проявит благосклонность к фараону и египтянам.

Великие пирамиды

Древние египтяне верили в жизнь после смерти. Для умерших фараонов они возводили гробницы-пирамиды и клали туда все, что могло понадобиться в иной жизни, – одежду, мебель, украшения и личные вещи. Самые большие пирамиды были возведены в эпоху Древнего царства.

Почему пирамиды имеют такую форму?

Первые пирамиды были ступенчатыми и олицетворяли лестницу, по которой фараон поднимается к Ра, богу солнца. Позднее возводили пирамиды с ровными гранями, символизировавшими лучи солнца. Пирамиды были сложены из огромных гладко отшлифованных глыб известняка, которые доставляли из каменоломен на правом берегу Нила. По воде огромные каменные блоки везли на баржах. К месту постройки их подвозили, погрузив на специальные деревянные салазки. Чтобы втащить эти блоки на 100-метровую высоту, делали земляные насыпи и использовали примитивные подъемные машины.

Пирамиды в Гизе. Самая большая из них – пирамида Хеопса. Изначально она достигала высоты 147 м и весила 6 млн т. Рядом находятся пирамиды сына Хеопса Хефрена и внука Микерина. В пирамидах поменьше покоятся жены фараонов.

Жизнь после смерти

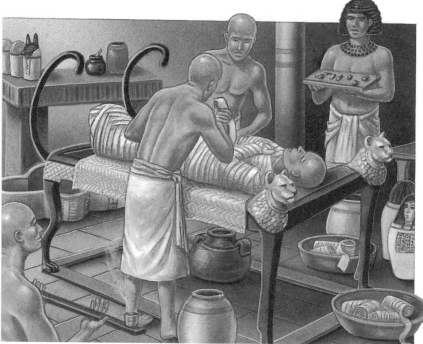

В период Древнего царства загробная жизнь считалась уделом только фараонов. Но постепенно все египтяне стали верить, что им тоже будет дана возможность попасть в потусторонний мир. Для этого нужно было сохранить тело, а также выдержать испытания, которые позволят смертным войти в царство Осириса.

Сохранение тела

Разрушение плоти, или тление, означало бы и неминуемую смерть души. Этого можно избежать, мумифицируя (бальзамируя) тело. Бальзамировщики извлекали внутренние органы и помещали их в сосуды. Чтобы остановить разложение, тело погружали в ванну с содой, которая обезвоживала кожу и мышечные ткани. Через 40 дней тело обертывали льняными бинтами и помещали в саркофаг.

Суд Осириса

Главное испытание, которое ждало умершего, – суд Осириса, часто изображаемый на стенах гробниц. Бог мертвых Осирис восседает на троне, и к нему подводят покойного. Тот (бог мудрости) и Анубис (бог подземного царства) кладут сердце на весы. На другой чаше – перо богини Маат, символ истины. Рядом сидит чудовище, готовое расправиться с покойным, если результат взвешивания будет неблагоприятным для него. Сердце по весу должно быть равным перу, тогда покойный навечно останется на полях Иалу, как называли египтяне свой рай. Иногда душа умершего в виде птички, ба, может посетить земной мир.

Анубис взвешивает сердце умершего. Рядом чудовище Амт – лев с головой крокодила.

Ученые писцы

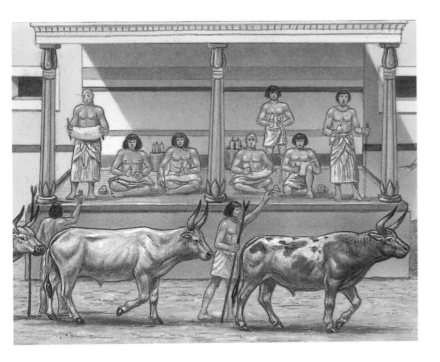

Писцы считают скот, который крестьяне привели в качестве подати.

Писцы, состоявшие на службе у фараонов, умели читать, писать и считать: этому они обучались долгие годы. Писцы были окружены уважением и освобождались от налогов и работ в сезон паводка.

Каковы были обязанности писцов?

Писцы записывали решения, принятые фараоном. Они подсчитывали подати, уплаченные крестьянами, сырье и материалы, раздаваемые ремесленникам, которые работали на фараона. На берегах Нила писцы отмечали высоту разливов и уровень воды в водохранилищах.

Как писали в Древнем Египте?

Писцы носили с собой письменный прибор, состоящий из деревянной палетки с красками и каламов (тростниковых палочек для письма), и сосудик с водой для разведения красок. Для приготовления красок использовали растертый уголь и охру – красным цветом выписывали даты и начало абзаца. Записи вели на свитке из папируса – растения, в изобилии покрывавшего берега Нила.

Иероглифы меняют форму

Писцы владели искусством иероглифического письма, насчитывавшего более 700 знаков. Для написания иероглифов требовалось много времени. Для деловых договоров и писем пользовались другим видом письма – иератическим, т. е. скорописью с упрощенным написанием иероглифов. В VII в. до н. э. иератическое письмо стало еще более простым – демотическим. Иероглифы использовали только для записи религиозных текстов.

Обучение писцов началось рано – примерно с пяти лет.

Иероглифы

- а — предплечье
- б — давать
- в — сын
- г — дочь

а – предплечье
б – давать

Каждый знак обладал собственным смыслом, но значение одного и того же иероглифа могло меняться в зависимости от того, рядом с каким иероглифом он стоял. Вот несколько примеров:

а – предплечье
б – давать
в – сын
г – дочь
В то же время каждый иероглиф имел свое очень точное значение.
Так, струя воды (д) и большое водное пространство, например озеро (е), обозначались разными иероглифами.

Картуш – это овал, в который заключено имя фараона. Это – своего рода «подпись» фараона.

Составляют ли иероглифы алфавит?
Нет. Это знаки разного порядка, они могут обозначать и предмет, и звук, и действие. Их можно группировать в зависимости от значения.

Как читать иероглифы?
Знаков препинания в иероглифическом письме нет, поэтому разобраться в нем трудно. Расшифровка осуществляется всегда в последовательности сверху вниз, но надписи могут идти и слева направо, и справа налево. Ориентироваться можно лишь по рисункам, на которых люди или животные повернуты направо или налево.

Письменность в Египте появилась примерно 5000 лет назад. Само слово «иероглифы» в переводе с греческого означает «божественные письмена». Эти знаки, покрывавшие стены храмов и гробниц, греки-завоеватели принимали за некие священные символы. В XIX в. исследователи установили значение 700 иероглифов.

Как были расшифрованы иероглифы?
В 1799 г. близ города Розетта, в дельте Нила, был найден большой плоский камень. На извлеченной из песка плите сохранилось три надписи: первые 14 строчек были высечены древнеегипетскими иероглифами, следующие 32 строки – демотическим письмом, а нижние 54 строки представляли собой древнегреческий текст. Француз Шампольон предположил, что надписи содержат один и тот же текст. Опираясь на древнегреческий текст, ученый расшифровал иероглифы.

Материал для письма делали из стеблей папируса.

Искусство

По представлениям древних египтян, нарисованное или скульптурное изображение обладает той же силой, что и живая модель. Если художник будет соблюдать некоторые правила, его творения станут достоянием вечности.

В фас или в профиль?

В рельефах Древнего царства утвердилась традиция своеобразного размещения фигуры на плоскости. Ноги изображали в профиль, а торс развернутым, голову обычно разворачивали в профиль, но глаз показывали в фас. Для художников было важно изобразить объект или предмет так, чтобы он был узнаваем.

Зачем украшали гробницы?

По верованиям египтян, умерший видел окружающее глазами, которые были нарисованы на его саркофаге. Поэтому вокруг были представлены сцены земледелия, охоты, рыбной ловли, пиров и т. д. Таким образом усопший мог приобщаться к этим занятиям в загробной жизни.

Похожи ли портреты?

Портрет редко походил на свой оригинал. Художники избегали изображать физические недостатки: морщины, полноту и т. д. Не интересовали их и преходящие переживания: ведь изображался человек, освобожденный от времени, идущий в вечность. Так что рисунки или статуи, как правило, запечатлевали молодых, сильных и красивых людей: ведь изображение останется, даже когда сам человек умрет. В царстве фараонов искусство служило прежде всего религии. Этому правилу подчинялись все произведения искусства – пирамиды, храмы, гробницы, настенная живопись и статуи.

Сельская жизнь

Большинство населения Древнего Египта составляли крестьяне. Они трудились на полях, которые принадлежали фараону или землевладельцам. Природа Египта была щедра: Нил давал воду и удобрял землю, солнце обеспечивало созревание урожая. Однако повседневная жизнь крестьян была трудна и сурова.

Как проходил год крестьянина?

Ежегодные летние паводки на Ниле несли угрозу хрупким жилищам из самана – необожженного кирпича с добавлением соломы. Поэтому их строили на возвышенностях. Между деревнями насыпали дамбы, по которым в период паводка передвигались люди и животные.

В октябре Нил возвращался в свое русло, и крестьяне с помощью примитивных плугов вспахивали поля. Сеяли вручную, разбрасывая семена из больших корзин, а затем выгоняли на поля овец и свиней, чтобы те втоптали семена в землю. В жатве принимала участие вся семья. Главными культурами были ячмень, эммер (разновидность пшеницы), лен. Самыми распространенными плодовыми деревьями были финиковая пальма, инжир и гранат. Из овощей были известны чеснок, лук-порей, огурцы, салат-латук, бобы. В июле река снова заливала долину, и крестьяне отправлялись на обязательные работы: чистить оросительные каналы, перевозить камень для строительства храмов и пирамид.

Беды и трудности

Самым страшным бедствием была засуха. В такое время нужно было особенно остерегаться воров. Писцы объявляли о новых податях, в которых нуждался фараон. Если крестьяне не могли отдать свою часть зерна или скота, их били палками.

Жизнь семьи

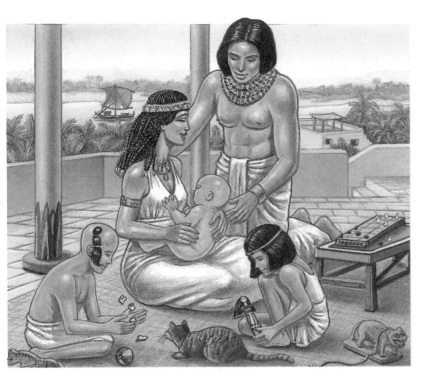

В каждом доме жила большая семья, включавшая стариков и близкую родню. В семьях было много детей – чем больше детей, тем больше помощников по хозяйству.

Образ жизни

Дома в Древнем Египте строили из кирпича-сырца. В комнатах царила прохлада – небольшие окошки пропускали совсем мало солнечных лучей. Количество комнат и их убранство зависели от богатства хозяина. Дома зажиточных людей украшала яркая стенная роспись. Нередко при таких домах был сад с прудом. В небогатых домах местом сбора семьи служила терраса на крыше. Вечером там собиралась вся семья насладиться вечерней прохладой и полюбоваться звездным небом. Большинство египтян носило одежду из грубого льняного холста, а знать – из тонкой ткани.

Отношение к детям в семье

Рождение очередного ребенка было большой радостью для египтянина. Но если младенец имел физические недостатки или рождался недоразвитым, его бросали на произвол судьбы, так как считалось, что на нем лежит проклятие богов. Воспитанием детей занималась мать. Некоторые из игр сохранились по сей день – например, чехарда или перетягивание каната. Однако уже в раннем возрасте дети помогали старшим в поле или в мастерской.

Настоящий клан

Как правило, семья состояла не только из родителей и детей. Часто в нее принимали родственников-холостяков, вдовцов или больных. Каждый мог по-своему быть полезным в доме.

Торговля

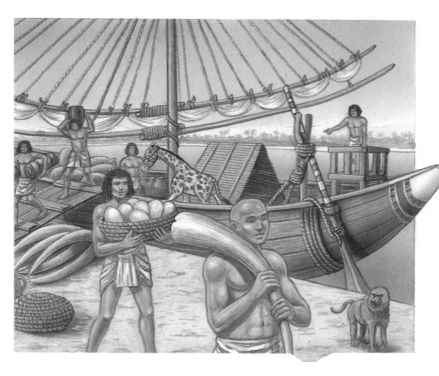

Писцы вели строгий учет всего, что привозилось из чужих земель.

Ладан для Хатшепсут
В начале XV в. до н. э. царица снарядила экспедицию в страну Пунт, которая скорее всего находилась на месте нынешнего Сомали.

Спустя три года отважные путешественники с триумфом вернулись на родину, привезя с собой множество диковинных вещей, слоновую кость, животных и, что самое ценное, благовония. Более 30 деревьев мирры были посажены на территории храма Хатшепсут.

На шахтах и рудниках работали в основном пленные иноземцы. Захватывая солдат в плен, египетские воины связывали им руки.

Египет был богатейшей страной Древнего мира. Египетские купцы не только торговали с соседними странами, но и отправлялись на поиски новых рынков сбыта и экзотических товаров. Со временем египтяне стали замечательными мореходами.

Откуда что везли?
Деревьев, пригодных для строительства, в долине Нила почти не было. Уже в эпоху Древнего царства фараоны отправляли морские экспедиции в Ливан за древесиной. В Ливане египетские купцы меняли зерно и папирус на древесину кедра. Из привозной древесины изготовлены разные сохранившиеся до наших дней предметы. Внимание египтян привлекли залежи медной руды на Синае. Там же добывали и бирюзу. Золото и серебро египтяне получали из Нубии. Из Палестины ввозили лошадей, рабов и керамику. В период наивысшего величия Египта, около 1300 г. до н. э., египетских купцов и чиновников можно было встретить повсюду, от Сирии до Судана.

Упадок Египта

Между IX и I вв. до н. э. внутренние смуты, голод и непрерывные нашествия привели к тому, что Египет стал мало-помалу терять свою мощь и независимость.

Разделенная и покоренная страна

Около 1069 г. до н. э. Египет вновь раскололся на Верхний и Нижний. С этого начался период упадка древнейшей цивилизации. Египет захватили более молодые и сильные державы – Ассирия, Персия, и, наконец, в 332 г. до н. э. в страну вторглись войска Александра Македонского. Завоеватели нередко сами оказывались в плену великолепия древнеегипетской цивилизации. Они были далеки от желания разрушить ее и даже приумножили ее славу. Так случилось с военачальником Александра Македонского Птолемеем, который занял трон Египта, перенес столицу в Александрию, превратив ее в красивейший город, и основал последнюю династию фараонов.

Необычайная красота Клеопатры вскружила голову римлянам – Цезарю, а потом Антонию.

Кто был последним фараоном?

Царица Клеопатра, происходившая по прямой линии от Птолемея I, правила Египтом с 51 по 30 г. до н. э. Она мечтала возродить Египет как великую империю, которая господствовала бы над соседними народами. Ее мечте не суждено было осуществиться: страну завоевали римляне. Египет на четыре века до 395 г. стал римской провинцией.

Конец древней цивилизации

В 312 г. император Константин узаконил христианство, и оно быстро распространилось по всему Египту. Христиане переделывали в церкви древние храмы, уничтожали ненавистные им символы язычества. Фанатики сожгли рукописи, уцелевшие после пожара, погубившего в 47 г. до н. э. знаменитую библиотеку в Александрии.

Греция

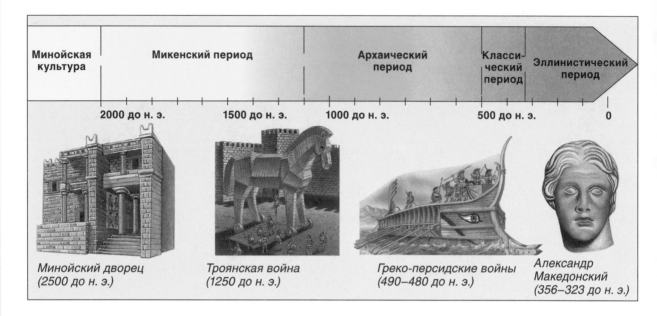

| Минойская культура | Микенский период | Архаический период | Классический период | Эллинистический период |

2000 до н. э.   1500 до н. э.   1000 до н. э.   500 до н. э.   0

Минойский дворец
(2500 до н. э.)

Троянская война
(1250 до н. э.)

Греко-персидские войны
(490–480 до н. э.)

Александр Македонский
(356–323 до н. э.)

История Древней Греции начинается около 3000 г. до н. э. с расцветом минойской культуры на Крите, а заканчивается во II–I вв. до н. э., когда греческие государства были захвачены Римом.

Минойцы и микенцы

К началу II тысячелетия до н. э. культура Эгейского региона достигла высокого уровня развития. Особо выделялась минойская цивилизация на острове Крит, тесно связанная с египтянами и народами Малой Азии. В XVI в. до н. э. в материковой части Греции расцвела микенская цивилизация. Микенцы многое восприняли из минойской культуры. К XI в. до н. э. микенская культура исчезла. Причины ее гибели до сих пор не ясны. Возможно, это связано с вторжением дорийцев.

Архаический и классический периоды

Период с XI по VIII в. до н. э. историки называют гомеровским. С 800 г. до н. э. начался архаический период, когда формировались полисы – города-государства. Население

росло очень быстро, земли не хватало, и греки начали расселяться по берегам Средиземного и Черного морей. V–IV вв. до н. э. – классический период, расцвет полисов. В 490 и 480 гг. до н. э. греческие полисы временно объединились против персов, но победа над ними не остановила борьбу Афин, Спарты и других полисов между собой. Однако многочисленные войны не помешали грекам создать блестящую культуру, которая до сих пор оказывает влияние на мировую цивилизацию.

Эллинистический период (IV–I вв. до н. э.)

На севере Греции находилась Македония, соперница Афин. В 338 г. до н. э. македонцы под предводительством царя Филиппа II одержали победу над греками при Херонее. Это позволило Македонии объединить всю Грецию под своей властью. Александр Македонский, сын Филиппа, расширил свое небольшое государство до размеров империи и распространил влияние греческой культуры на все завоеванные земли.

Земля морей и гор

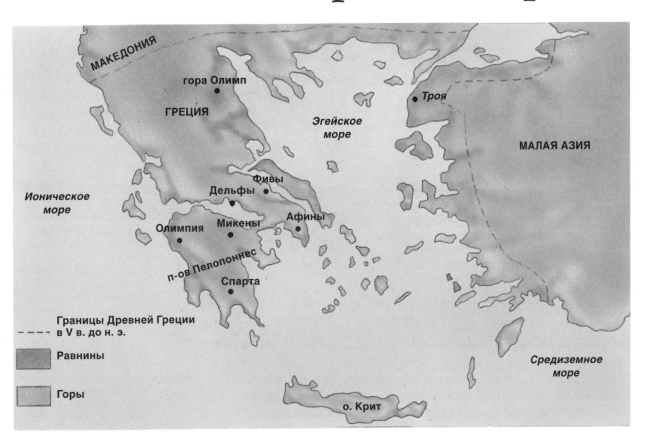

Границы Древней Греции
в V в. до н. э.

Равнины

Горы

Грекам досталась каменистая территория с изрезанной береговой линией, не очень пригодная для земледелия. Плодородных долин было мало.

Бедная земля

Земля в Греции была не очень плодородна и трудна для возделывания. Поэтому важную роль играло пастбищное скотоводство в горных районах. Наиболее интенсивно развивалось овцеводство, разводили также коров, коз и свиней. Для вспахивания полей крестьяне использовали плуг, запряженный быками. Обилие солнца, мягкий климат и трудолюбие позволяли грекам выращивать хлеб, виноград и оливки. Ритм жизни определялся сменой работ на полях.

Рычащие горы

Едва ли не всю территорию Греции занимают горы. Дремлющие вулканы готовы в любой момент обрушить на близлежащие города и деревни пепел и лаву. Древние греки были уверены, что там устроил свои кузницы угрюмый бог огня Гефест, и страшились вспышек его ярости.

Острова и море

Греки были отменными мореходами. Для создания колоний в разных областях Средиземноморья требовался флот, и кораблестроение развивалось быстро. Мощный военный флот позволил грекам одержать победу над персами. Но море таило и много опасностей, главная из которых – пираты.

Боги Олимпа

Что такое мифы?

Мифы – это легенды, рассказывающие о том, какую роль боги играли в сотворении мира, каковы их отношения друг с другом, как они ссорятся, страдают, любят, завидуют друг другу.

Здесь представлены главные боги греческого пантеона: 1) Зевс, верховный бог, 2) его супруга Гера, 3) Посейдон, властитель морей, 4) Аполлон, покровитель искусств, 5) Гермес, крылатый посланник богов, 6) Афродита, богиня любви, 7) Афина, богиня мудрости, 8) Геракл, греческий герой, причисленный к сонму богов.

Греки создали своих богов по образу и подобию людей, наделив их красотой и бессмертием. Божества обладали человеческими качествами: они были великодушны и мстительны, добры и жестоки, влюбчивы и ревнивы.

В Дельфийском храме Аполлон устами пифии, жрицы-прорицательницы, отвечал на вопросы, с которыми к нему приходили смертные.

Как рождаются боги?

Боги всегда появлялись на свет необычным образом. Так, Афина появилась из головы своего отца Зевса в полном вооружении и с воинственным кличем. Афродита вышла из морской пены. В отличие от людей, греческие боги никогда не старели.

Наказание, на которое боги обрекли людей

Счастливо жили люди, не зная зла, тяжелого труда и болезней. Но однажды Зевс, разгневанный тем, что Прометей похитил у богов огонь, повелел богу-кузнецу Гефесту сделать из глины прекрасную девушку. Боги назвали ее Пандорой. Зевс отправил ее к людям, вручив сосуд, в котором содержались беды и несчастья, которые громовержец решил наслать на людской род. Поддавшись любопытству, Пандора открыла ларец, и беды обрушились на мир. Пандора захлопнула крышку, и в сосуде осталась надежда, которая могла бы служить для людей утешением.

«Илиада» и «Одиссея»

В «Илиаде» рассказывается о том, как ахейцы захватили Трою. Они оставили у стен города деревянного коня с воинами внутри, а троянцы ввезли его в город.

Одиссей просит привязать его к мачте, чтобы устоять перед чарами сирен – полуженщин-полуптиц, волшебное пение которых сгубило многих моряков.

Эти эпические поэмы, написанные Гомером, жившим в VIII в. до н. э., – важные источники сведений по истории Древней Греции. Автор использовал различные предания и легенды, передаваемые из поколения в поколение.

По дороге он пережил невероятные приключения – кораблекрушение, сражение с циклопами, встречу с волшебницей Киркой и нимфой Калипсо, нападение людоедов.

О чем рассказывают эти поэмы?
Парис, сын троянского царя, похитил прекрасную Елену, жену Менелая, царя Спарты. Менелай и ахейцы (греки) выступили против Трои, чтобы вернуть Елену и наказать троянцев. «Илиада» рассказывает об осаде Трои (в древности ее называли Илион). Герой второй поэмы Одиссей, царь острова Итака, после падения Трои отправился домой. Его возвращение продолжалось 10 лет.

Боги помогают людям
У богов, как и у людей, были свои привязанности. Так, Гера покровительствовала ахейцам, Аполлон – троянцам.

Троянская война: миф или правда?
По-видимому, в основе Троянской войны, описанной Гомером, лежали реальные события. Скорее всего, ахейцы выступили против богатой Трои не ради спасения Елены, а для того, чтобы разграбить город. Троя была разрушена около 1200 г. до н. э.

Поклонение богам

Для общения с богами необходимо было выполнять определенные обряды. Лишь тогда древние греки надеялись избежать гнева богов и добиться их благосклонности.

У алтаря

Основной формой богопочитания в Древней Греции было жертвоприношение, которое считалось действенным, если ритуал совершался точно по религиозным предписаниям. Местом жертвоприношений служил алтарь, установленный под открытым небом или внутри храма, а также в частных домах и общественных зданиях. На алтаре разводили священный огонь. Жертвенными дарами были плоды, еда, вино, благовония, животные. Греки просили богов о чем-либо или благодарили их за помощь. Молясь, грек стоял, воздев руки к небу. Обращаясь к подземным богам, он касался земли рукой.

Празднества

Непременной частью религиозного культа стали торжественные процессии в честь божества. Греки знали пристрастия богов и приносили в жертву разных животных. Посейдон предпочитал быков, Афина – коров. После того как жрец произносил молитву, голову животного окропляли водой, чтобы его очистить. Собранную кровь лили на алтарь. Разделанную тушу жарили на огне и раздавали в качестве угощения. После обряда жертвоприношения начинались праздничные мероприятия – танцы, игры, состязания молодых атлетов, разыгрывание сценок из жизни богов и всякого рода народные увеселения.

Олимпийские игры

Кто такие атлеты?
По Уставу участниками Игр – атлетами – могли быть только мужчины или юноши. Женщины не имели права участвовать в Играх даже как зрители. Отобранные для участия в Играх тренировались несколько месяцев. В первый день они давали клятву вести себя достойно и соблюдать все правила.

Виды состязаний
Соревнования включали бег на короткую, среднюю и длинную дистанции, бег с оружием, борьбу, кулачный бой, пятиборье (прыжки в длину, метание диска, метание копья, бег, борьба), скачки верхом и на колесницах. Юноши (до 16 лет) и взрослые состязались отдельно. В заключение устраивали пир в честь победителей, получавших венок из дикой оливы.

Олимпийские игры были частью культа Зевса. Первые Игры состоялись в 776 г. до н. э. и проводились каждые четыре года. В это время вступало в силу Священное перемирие – обязательство греческих народов хранить мир и обеспечивать безопасность всех направляющихся в Олимпию. Нарушителей ожидал штраф и исключение из числа участников будущих Игр. В 472 г. до н. э. был принят Устав, который регулировал процедуру подготовки и проведения Игр, а также наказания за нарушения правил.

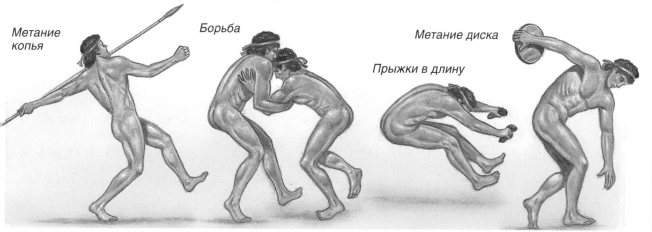

Метание копья

Борьба

Метание диска

Прыжки в длину

Грозные спартанцы

Воины-спартанцы, замеченные в трусости на поле боя, должны были оставлять бороду лишь на одной стороне лица.

Слабым здесь нет места

Совет старейшин, управлявший городом, наблюдал за новорожденными в семьях «равных» и производил жесткий отбор. Слабых и больных беспощадно сбрасывали со скалы. Младенцев в Спарте не пеленали: они лежали голышом, свободно двигая руками и ногами. Считалось, что так они вырастут более крепкими и выносливыми.

В V в. до н. э. Спарта господствовала на юге Греции. Спартанцы превратили свой полис в замкнутую авторитарную систему. Их армия была самой грозной в Греции.

Суровое воспитание

С 7 лет дети «равных» покидали семью и жили сообща под присмотром воспитателей. Обучение чтению и письму занимало мало времени. Главным в воспитании считалась физическая закалка. Целыми днями юные спартанцы упражнялись в беге и борьбе, чтобы вырасти смелыми и выносливыми. Мальчиков подвергали телесным наказаниям, чтобы приучить к боли и умению преодолевать страх. В 12 лет они переставали носить хитон и обувь. Кормили воспитанников скудно, и, чтобы выжить, им приходилось проявлять хитрость и расторопность, не гнушаясь даже воровства.

Кто такие «равные»?

«Равными» называли граждан Спарты, которые посвящали свою жизнь исключительно военному делу. Их землю обрабатывали крестьяне-рабы – илоты. В Спарте долгое время действовала система мер, обеспечивавшая имущественное равенство. Всем воинам государство раздавало равные земельные наделы. Быт был очень аскетичным.

Спартанских девушек растили физически развитыми, чтобы в будущем у них были здоровые и сильные дети.

Демократия в Афинах

Чужеземцы

Чужеземцев называли метеками. Лично свободные, они не имели политических прав. Среди метеков встречались богатые рабовладельцы, торговцы, владельцы ремесленных мастерских, а также архитекторы, философы, врачи, которые, поселяясь в Афинах, приносили с собой новые знания. Метеками становились и рабы, отпущенные на волю.

Рабы

В Афинах было более 100 тыс. рабов, в основном из военнопленных. Они принадлежали метекам или гражданам. По 1–2 раба имел почти каждый гражданин. Каждый месяц на агоре проводилась ярмарка рабов.

В V в. до н. э. афиняне стали принимать непосредственное участие в управлении своим государством. Но афинская демократия лишала всех политических прав женщин, рабов и чужеземцев.

Кто управлял Афинами?

Главным органом власти в Афинах было Народное собрание, экклесия, на которое собирались все граждане старше 18 лет. Здесь принимались законы, подготовленные членами городского совета (Совета пятисот), объявлялись войны и заключался мир, избирались должностные лица из числа граждан не моложе 30 лет. Выступить по обсуждаемому вопросу мог каждый гражданин. В обязанности Совета пятисот входили вопросы правосудия и управления армией. Члены Совета назначались по жребию сроком на один год.

Эти водяные часы отмеряли время публичных выступлений граждан. Когда вся вода из верхнего сосуда вытекала, оратор должен был прервать свою речь.

Город Афины

В V в. до н. э. Афины были самым процветающим городом Средиземноморья. Демократическое правление, развитая экономика, красота архитектуры – все это делало Афины политическим, торговым и культурным центром Греции.
В Афинах жили великие философы (Сократ, Платон, Аристотель) и драматурги (Эсхил, Софокл, Еврипид, Аристофан).

Что такое Акрополь?

Акрополь (верхний город) – это скалистый холм с крепостными стенами. Он был священным местом. В центре Акрополя находился Парфенон – святилище богини Афины, покровительницы города. Внутри этого мраморного храма стояла 12-метровая культовая статуя Афины, украшенная золотом и слоновой костью. Посреди Акрополя под открытым небом высилась 17-метровая бронзовая статуя Афины с копьем и щитом.

Город праздничный

Каждый год афиняне организовывали торжества, посвященные богам. В эти дни по Афинам шли многолюдные процессии.
• В июле проводился праздник Панафинеи, в честь Афины. Длинные процессии тянулись через весь город. В Акрополь они попадали через мраморные ворота – Пропилеи. Обряд праздника включал жертвоприношения и спортивные состязания.
• В честь Диониса, бога вина, праздновали Дионисии. Пять дней веселья сопровождались музыкой, состязаниями поэтов и хоров.

Нижний город

Вокруг Акрополя лежал город с узкими улочками, великолепными зданиями и рыночной площадью, агорой, где проводились ярмарки и народные собрания, располагались школы и монетный двор. Через порт Пирей ввозили товары со всего Средиземноморья.

Жизнь гражданина

Богатые горожане принимали активное участие в общественной жизни полисов, возглавляли военные экспедиции, избирались в высшие органы власти.

Прогулки по агоре

К свободным гражданам Афин относились представители родовой знати, владельцы мастерских, торговцы, ремесленники и прочий городской люд. Значительную часть населения составляли чужеземцы – метеки, лично свободные, но ограниченные в политических и экономических правах. Несвободные жители Афин – рабы – не имели никаких прав. Состоятельные афиняне с утра отправлялись на агору, чтобы обменяться новостями или поспорить друг с другом.

Права и обязанности

Трижды в месяц свободные граждане Афин принимали участие в Народном собрании: это входило в круг их обязанностей, и, если гражданин опаздывал к началу, его штрафовали.

Спорт и развлечения

Граждане Афин поддерживали хорошую физическую форму, чтобы при необходимости выступить на защиту города. Они регулярно посещали гимнасий (место для занятий спортом). Не меньшее внимание уделялось и духовной жизни. Афиняне любили театр, диспуты, музыку.

Только обязанности

Однако беззаботную жизнь вели только состоятельные люди. Крестьяне, рыбаки, ремесленники, хоть и были свободными, трудились от зари до зари, обеспечивая процветание полиса.

Как жили женщины

В течение всей своей жизни гречанка подчинялась мужчине (отцу, братьям, мужу). Образ жизни греческих женщин зависел от того, в какой общественной среде она жила, но ее свобода чаще всего была ограничена.

Место женщины в обществе

Гречанки были лишены гражданских прав. Они не участвовали в управлении городом. Выходить девушка могла только в сопровождении старших, чтобы принять участие в религиозных процессиях, в похоронах или побывать в храме. Женщины не посещали гимнасии и театр.

Вдали от посторонних глаз

Большую часть времени женщины проводили в гинекее – женской половине дома. Девушек учили читать, писать, играть на музыкальных инструментах. Мать передавала дочери свои знания, чтобы, став хозяйкой дома, она могла делать все сама и руководить рабынями. Мужа девушке выбирал отец. Выйти на улицу женщина могла лишь с разрешения мужа.

Женщины в городе

В семьях со скромным достатком женщины работали наравне с мужьями. Их можно было увидеть на рынке, где они продавали все, что сами изготовляли: хлеб, сладости, пряжу, ленты, или у источника, где они подолгу болтали между собой.

Другая судьба

Не так жили гетеры – незамужние образованные женщины. Они вели свободный образ жизни, были знакомы с литературой, философией и искусством, умели петь, танцевать, играть на музыкальных инструментах, развлекать гостей умными беседами. В эллинистическую эпоху самостоятельность женщин заметно возросла.

...и дети

Гармоничное образование
Мальчиков до семи лет воспитывали в семье. Затем отец подбирал учителей, которые учили ребенка гимнастике, музыке, чтению и письму, заставляли пересказывать «Илиаду» и «Одиссею». С 12-летнего возраста мальчики посещали гимнасий. Весь день их сопровождал раб, который назывался «педагог»: он присматривал за воспитанником, а дома заставлял повторять уроки.

Музыка занимала важное место в воспитании. Этот мальчик учится играть на лире.

У детей ремесленников обучение продолжалось недолго. Чаще всего они осваивали семейное ремесло в мастерской отца.

Древние греки предпочитали не заводить много детей. Территория полиса была не очень велика, чтобы там могло жить много народа, да и свое состояние граждане не хотели делить между многочисленными наследниками. Ребенок получал воспитание, которое должно было сделать из него хорошего гражданина и воина.

Новорожденный
О рождении младенца родители извещали сограждан, вешая на воротах оливковую ветвь, если это мальчик, или ленточку, если это девочка. В последующие дни родители собирали родню и соседей, чтобы принести жертву богам и отметить событие пиршеством.

Брошенные дети
Зачастую греки стремились избавиться не только от детей с физическим недостатком, но и от вполне здоровых, в особенности от девочек. Семьи, где были две дочери, считались исключением. Причины этого понятны: женщины не могли выполнять те задачи, которые можно было возложить на плечи подрастающего поколения полисов Греции.

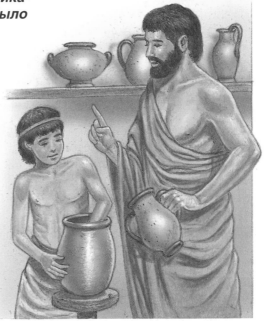

Философия

Древние греки были уверены, что у истоков всего сущего стоят боги. Но по мере накопления знаний греческие учёные стали искать другие объяснения сущности мира, они пытались понять что такое мир, человек, истина. Их называли философами, что в переводе с греческого означает «любители мудрости».

Первые философы

С VII в. до н. э. в Греции стали возникать различные теории мироздания, которые легли в основу развития мировой философии. Создатели одних теорий считали первичными началами мира четыре стихии – землю, воду, воздух и огонь; другие – мельчайшие частицы, атомы.

Сократ

Сократ и Платон

По мнению Сократа (470–399 до н. э.), философия призвана совершенствовать человека, хорошие поступки обусловлены знаниями. Он считал, что нужно уметь правильно рассуждать и делать логические выводы. По доносу Сократа обвинили в том, что он портит нравы юношества и общепризнанным богам предпочитает новых. Сократа приговорили к смерти. Он умер, выпив яд цикуты. Письменных текстов он не оставил. Взгляды Сократа известны по записям его учеников, в основном Платона (427–347 до н. э.). Платон сравнивал наш мир с пещерой, на стенах которой мелькают тени – отражения совершенных образов (идей), существующих в идеальном, высшем мире, наполненном светом. Чтобы познать мир идей, нужно тренировать ум. В 388 г. до н. э. Платон основал в Афинах Академию.

Аристотель

Ученик Платона Аристотель (384–322 до н. э.) переосмыслил взгляды учителя и создал собственное учение («Платон мне друг, но истина дороже»). Он основал свою философскую школу – Ликей. Аристотель был воспитателем Александра Македонского.

Театр

Первоначально театральные действия разыгрывались во время религиозных празднеств. Вскоре театр стал самостоятельным видом искусства. Авторы трагедий и комедий состязались между собой: чья трагедия сильнее тронет зрителей, чья комедия вызовет больше хохота.

Сцена

Сценическое действие проходило на круглой площадке – орхестре, в центре которой стоял жертвенник Дионису. Оно разыгрывалось как диалог между актерами и хором, насчитывавшим до 24 человек. Актеры выступали в масках, которые позволяли им играть несколько разных ролей, в том числе женских, ведь женщинам играть на сцене не разрешалось. Маски передавали душевное состояние героев.

Зрительный зал

Зрители, число которых могло достигать 15 тыс., сидели на каменных скамьях, расположенных ярусами. В Афинах самым бедным гражданам государство даже выдавало деньги, чтобы они могли купить театральные билеты. Во время представлений, которые продолжались целый день, публика ела и пила, реагируя на перипетии спектаклей взрывами смеха, громкими выкриками, аплодисментами или ропотом.

Трагедия и комедия

Это – два жанра древнегреческого театра. Трагедия изображала страдания людей и неотвратимость судьбы. Комедия должна была вызывать смех и развлекать.

Архитектура и искусство

Парфенон построен
в дорическом стиле.

Фронтон

Капители

Почти все произведения искусства – храмы, статуи, живопись – посвящались богам и рассказывали об их подвигах. Вместе с тем в образах богов, а в классический период также воинов и атлетов греки воплощали свой идеал красоты и физического совершенства человека.

Храмовая архитектура и скульптура

При возведении величественных храмов архитекторы придерживались строгих пропорций. В греческой архитектуре выделяют три ордера (стиля), которые различают прежде всего по форме и капителям колонн: дорический (невысокие массивные колонны с простыми капителями и без постамента), ионический (стройные колонны с постаментом и капителями с завитками) и коринфский (колонны с растительным орнаментом на высоких капителях).

Живопись на вазах

Вазопись достигла расцвета в Афинах в VI и V вв. до н. э. В ней выделяют два стиля. Чернофигурный стиль возник около 630 г. до н. э. Рисунок наносился черным лаком на обожженную глину. Краснофигурный стиль чуть моложе. Лаковое покрытие заполняло фон, а фигуры сохраняли цвет обожженной глины. На вазах, как правило, изображали сцены повседневной жизни, мужские пирушки, сюжеты мифов.

Скульптура

Греческие скульпторы передавали в твердом материале все оттенки человеческого состояния. Их статуи полны жизни и движения. Совершенство форм стало возможным благодаря тому, что ваятели изучали анатомию.

Торговля и колонии

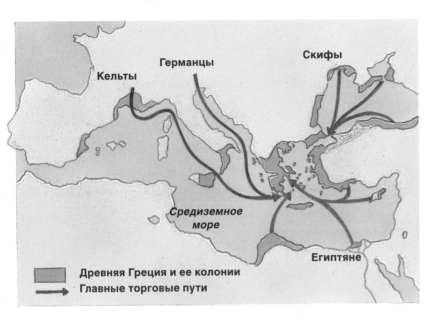

Древняя Греция и ее колонии
Главные торговые пути

Германцы
Кельты
Скифы
Средиземное море
Египтяне

Откуда стекались богатства?

Богатые города Греции привлекали многих. В порту Пирей можно было встретить путешественников и купцов из Африки, Европы, Азии. Они привозили рабов и ценные товары: кожу из Северной Африки, соленую рыбу и золото с берегов Черного моря, мясо и соль из Италии, тонкие ткани из Египта, ладан из Сирии, слоновую кость из Ливии, ковры из Карфагена. Греция экспортировала вино, оливковое масло и керамику.

Греки-колонисты, поселившиеся далеко от родины, сохраняли свои язык, религию и уклад жизни. Всех, кто не говорил на греческом языке, они называли варварами.

Колонии

С VIII в. до н. э. греки начали основывать колонии вдоль побережья Черного и Средиземного морей, в местах с удобными гаванями и плодородными землями. Колонии создавались по образцу тех городов, откуда прибыли поселенцы. Отношения с коренным населением иногда складывались нелегко. Даже колонисты из Спарты только после тяжелого боя смогли захватить в 708 г. до н. э. Тарент в Южной Италии. А вот греки с острова Тира (Санторин) не встретили сопротивления со стороны полукочевых скотоводов на севере Африки, где в 630 г. до н. э. основали колонию Кирена.

Греки и Восток

В VI в. до н. э. греки поддерживали тесные отношения с Востоком. Они были покорены утонченным вкусом восточных людей и с удовольствием носили украшения, богато расшитую одежду, пользовались благовониями.

Борьба с варварами

Греческие города нередко воевали друг с другом. Но перед лицом общих врагов – варваров, то есть негреков, они, как правило, объединялись в военные союзы.

Как сражались греческие воины?
Во время войны все мужчины шли воевать. Несение воинской службы было обязательным. Тяжеловооруженные пешие воины – гоплиты – носили бронзовые шлемы, панцири и поножи – щитки на голенях, а в левой руке держали тяжелый щит – гоплон (отсюда и название воинов). Солдаты сражались плотным строем – фалангой, в которой щит одного воина прикрывал правую часть тела соседа слева. Те, кто не мог купить себе доспехи, шли гребцами на триеры. Нос этих быстрых, маневренных судов оборудовали бронзовым тараном, который пробивал борта неприятельских кораблей ниже ватерлинии.

Победа над персами
С 500 г. до н. э. персы много раз пытались покорить города материковой Греции. В 490 г. до н. э. в битве при Марафоне 6 тыс. афинян разбили 12-тысячную армию персов. Но эта победа не была окончательной. Десять лет спустя персы снова вторглись в Грецию. Греки пережили разграбление Афин, гибель спартанской армии в ущелье Фермопилы. И все же персы были разгромлены. В 480 г. до н. э. в морском сражении при Саламине греки разбили персидский флот, состоявший из громоздких кораблей.

Помощь богов
Перед каждым сражением греки, стремясь заручиться поддержкой богов, приносили им в жертву животных. Учитывались также все предзнаменования, которые могли принести неудачу.

Царь и полководец

Александр Македонский, один из самых блестящих полководцев всех времен и народов, за 13 лет завоевал полмира: его огромная империя простиралась от Македонии до Индии. В покоренных странах он насаждал греческие язык и культуру – так началась эпоха эллинизма.

Молодой царь

Александр Македонский (356–323 до н. э.) – сын Филиппа II, царя Македонии. С 13 лет его воспитателем был великий греческий философ Аристотель, который обучал его математике, медицине и другим наукам. После смерти отца, убитого заговорщиками, 20-летний Александр унаследовал трон и большую, закаленную в походах армию, позволившую ему уничтожить империю персов и создать новую мировую державу.

Во время похода в Индию Александру пришлось столкнуться с войском, в составе которого были боевые слоны. Позже он использовал этих животных, подаренных ему, в собственной армии.

Великий полководец

Честолюбивые планы побудили Александра, подчинившего Грецию, двинуться в Малую Азию, Египет, Месопотамию и Среднюю Азию. Победив в 331 г. до н. э. персидского царя Дария III, он жаждал новых завоеваний и повел свою армию в Индию. В битве у реки Гидасп в 326 г. до н. э. Александр разгромил армию индийского царя Пора, в которой было 200 боевых слонов. Александр планировал поход в Аравию, но в 33 года умер от малярии. Всего через два года после смерти Александра между его полководцами началась борьба, и империя распалась на части.

Александрия

В ходе военных кампаний Александр основывал новые города. Двадцать пять из них он назвал своим именем. Самая знаменитая Александрия в дельте Нила стала столицей Египта. Величественный маяк в Александрийской гавани считали одним из семи чудес света, а богатейшая библиотека привлекала ученых всего мира.

От города до империи

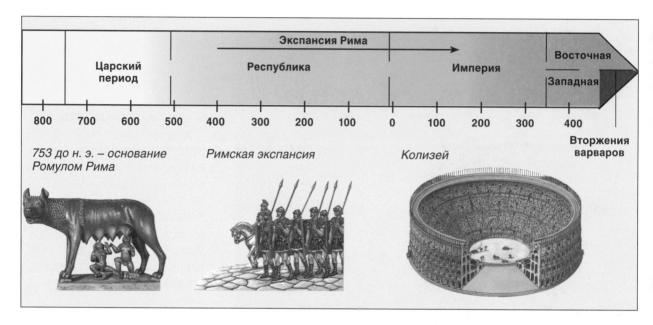

| Царский период | Республика | Империя | Восточная |
| Экспансия Рима | | | Западная |

753 до н. э. – основание Ромулом Рима

Римская экспансия

Колизей

Вторжения варваров

Римская цивилизация началась в VIII в. до н. э. с небольших поселений на холмах по берегам Тибра. Со временем на месте этих поселений возникла столица могучей империи, которая до V в. н. э. господствовала над всем Средиземноморьем.

Этрусские цари

В конце VII в. до н. э. небольшими поселениями латинов на берегу реки Тибр завладели этруски. Из этих поселений, расположенных на семи холмах, и вырос Рим. Среди царей Рима были и латины, и этруски. В конце V в. до н. э. римляне изгнали последнего этрусского царя и образовали республику.

Республика (510–31 до н. э.)

В период республики жизнью Рима руководили два консула, избиравшиеся гражданами сроком на один год. Рим вел беспрестанные войны с соседями. В III в. до н. э. Рим установил господство над Апеннинским полуостровом. С годами честолюбивые замыслы римских правителей становились все грандиозней, и римская армия покорила Грецию, Галлию, Египет... Но республику сотрясали непрерывные гражданские войны. Чтобы установить мир, римляне передали власть одному человеку. Первым императором – так назывался новый правитель Рима – в 27 г. до н. э. стал Октавиан.

Империя (31 до н. э.–476 н. э.)

Для новых завоеваний в императорском Риме была создана мощная, хорошо обученная армия. Во II в. н. э. Римская империя простиралась от Атлантического океана до Евфрата и от Британии до пустыни Сахара.

Конец римского владычества

Мятежи внутри империи и вторжения извне привели к тому, что страна стала неуправляемой, и в 395 г. н. э. была разделена на две части. В 476 г. варвары свергли последнего императора Западной Римской империи и разорили ее. Восточная Римская империя, Византия, процветала вплоть до 1453 г., когда ее захватили турки-османы.

Ромул и Рем

Согласно легенде, Рим был основан в 753 г. до н. э. Ромулом. Археологи установили, что первые поселения возникли в этих местах в X–IX вв. до н. э.

Кто такие Ромул и Рем?

Согласно той же легенде, близнецы Ромул и Рем были детьми бога войны Марса и жрицы Реи Сильвии. Они должны были получить в наследство маленькое царство Альба, но их дядя Амулий захватил трон, а близнецов велел бросить в реку Тибр. Однако Ромул и Рем не утонули; они выбрались на берег у подножия холма Палатин. Жизнь им спасла волчица, выкормив их молоком. Затем их подобрал и воспитал пастух. В 18 лет Ромул и Рем, узнав о своем знатном происхождении, решили отомстить Амулию и убили его. А на холме Палатин, где их кормила волчица, основали город. Но им не удалось поделить власть: в одной из ссор Ромул убил Рема и стал править сам. Ромулу приписывается не только основание великого города, но и объединение всех сельских общин латинов и этрусков.

От хижин к особнякам

Изучая историю Рима, археологи обнаружили остатки жилищ и погребений. Легенда не лгала: самые старые постройки относятся к X в. до н. э. Обитателями места, на котором возник Рим, были пастухи и земледельцы. Для захоронений использовались заболоченные низины между холмами. Постепенно эти поселения объединялись, пока не слились в один город, который был окружен оборонительной стеной, почитавшейся священной. Город быстро развивался: появились большие дома с черепичными крышами, мощеные улицы и мост через реку. Болото на восточном склоне Капитолийского холма, служившее кладбищем, осушили, превратив его в административный и деловой центр города – Форум.

Расширение владений

Заседание сената

Изгнав этрусских царей, римляне учредили новый тип государственного устройства – республику.

Кто управлял Римом?

Народное собрание, высший законодательный орган, принимало законы и выбирало всех должностных лиц. Магистраты, в том числе и два консула, обеспечивали выполнение законов, ведали финансами и т. д. Ни одно важное решение не принималось без сената – высшего органа власти, в который пожизненно входили отслужившие свой срок магистраты. Участвовали в общественной жизни Рима только патриции – представители родовой знати. Плебеи, свободные, но лишенные гражданских прав римляне, лишь к IV в. до н. э. были уравнены в правах с патрициями.

От победы к победе

Подчинив себе всю Италию, Рим претендовал на господство и на соседних территориях, в первую очередь средиземноморских. Но он натолкнулся на ожесточенное сопротивление Карфагена. В ходе кровопролитных войн (218–201 до н. э.) римляне разбили армию карфагенского полководца Ганнибала. Затем последовали победоносные войны с сильными государствами Востока.

Честолюбивые полководцы

К I в. до н. э. римские полководцы, вступили в борьбу за единоличную власть. Главными соперниками были Помпей, покоривший Восток, и Цезарь, присоединивший к Риму Галлию.

Юлий Цезарь

Цезарь происходил из древнего патрицианского рода. В 32 года он был избран магистратом, а в 41 год – консулом. Но Цезарь мечтал об абсолютной власти.

Борьба за власть

Шесть лет Цезарь провел в походах против галлов. В результате Галлия (нынешняя Франция) стала римской провинцией. Победа, одержанная Цезарем в 52 г. до н. э. при Алезии (с. 51), принесла ему славу и богатство. Однако сенаторы в Риме, встревоженные растущим могуществом Цезаря, предпочли доверить власть Помпею. Сенат постановил, чтобы Цезарь сложил с себя командование и вернулся в столицу без армии. Но Цезарь не подчинился и привел в Рим свои войска. Началась гражданская война. Цезарь одержал окончательную победу над Помпеем летом 48 г. до н. э. в битве при Фарсале. Помпей бежал в Египет, но там был убит. В Александрии Цезарь увлекся юной Клеопатрой и возвел ее на египетский престол.

Смерть Цезаря

После победы при Фарсале Цезарь был объявлен пожизненным диктатором – должностным лицом с широкими полномочиями. Вернувшись в Рим, Цезарь праздновал победу, устраивая пышные триумфальные шествия. Отныне он управлял всеми делами в Риме. И хотя сенат заседал по-прежнему и выборы проходили под его жестким контролем, сенаторы были убеждены, что Цезарь готовится восстановить монархию. В заговоре, организованном другом Цезаря Марком Брутом, приняли участие 60 сенаторов. 15 марта 44 г. до н. э. Цезарь был заколот на заседании сената.

Империя

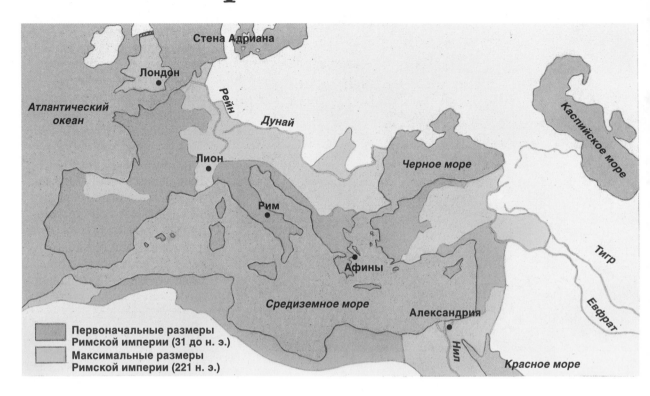

Стена Адриана

Лондон

Атлантический океан

Рейн

Дунай

Каспийское море

Черное море

Лион

Рим

Афины

Тигр

Средиземное море

Александрия

Евфрат

Нил

Красное море

▨ Первоначальные размеры
Римской империи (31 до н. э.)

☐ Максимальные размеры
Римской империи (221 н. э.)

Заговорщики, убившие Цезаря, думали, что они спасли республиканский строй. Однако в 27 г. до н. э. Октавиан, приемный сын Цезаря, получил от сената полномочия верховной власти. Ее сосредоточение в руках одного человека привело к созданию нового государственного устройства – империи.

Кто такой император?

Император – это единоличный властитель, обладающий абсолютными правами и полномочиями. Правда, первоначально в Римской республике слово «император» означало высший почетный военный титул, который присваивался полководцу по постановлению сената или по решению армии, но формально не давал особых властных полномочий. Цезарю сенат тоже даровал титул императора с правом передачи его потомкам.

Народное собрание продолжало избирать магистратов, сенат продолжал заседать, но император чаще всего сам решал все вопросы. У него была личная гвардия, состоявшая из преторианцев. Символом власти императора был лавровый венок.

Процветание Рима

Императоры Клавдий и Траян расширили владения Римской империи. Протяженность ее границ во II в. была 9 тыс. км. Пустыни, крупные реки, такие как Рейн, Дунай, Евфрат, служили естественными рубежами, сдерживавшими натиск варваров. Но чтобы обеспечить покой в провинциях этой гигантской империи, приходилось строить крепости, оборонительные сооружения. В Британии для защиты северной границы империи от каледонцев император Адриан возвел мощный каменный вал длиной 110 км.

Нерон

Нерон, жестокий правитель, вместо славы актера получивший трон императора, был одним из самых необычных правителей в истории Древнего Рима.

Убийца или жертва?

Нерону было всего 16 лет, когда он сменил на троне своего приемного отца Клавдия. Воспитателем юного императора был знаменитый философ Сенека. В начале своего царствования Нерон не принимал ни одного решения без совета учителя. Спустя какое-то время его начала одолевать мысль о заговоре против него. Стремясь опередить врагов, он уничтожил многих, в том числе Британика, сына Клавдия, и даже свою мать! В 64 г. страшный пожар уничтожил центр Рима. Молва обвинила Нерона в умышленном поджоге, тем более что император возвел на освободившейся территории грандиозный дворец – Золотой дом. Нерон же обвинил в поджоге христиан и начал их преследование. Сенаторы, аристократия, военачальники искали способ избавиться от него. Сенат объявил его врагом общества. Нерон бежал из Рима и 8 июня 68 г. покончил с собой.

Артист или тиран?

Нельзя сказать, чтобы Нерон уделял большое внимание государственным делам. Все также отмечали нелюбовь Нерона к кровавым гладиаторским боям, популярным среди римской черни. Взамен Нерон активно вводил состязания в области искусства. Он сам неплохо рисовал, сочинял стихи, играл на кифаре. С 64 г. Нерон стал публично выступать как певец и актер. Убежденный в своем таланте, он отправился в Грецию, чтобы принять участие в музыкальном и театральном конкурсах... и победил в них. Может быть, аплодисменты зрителей возбудили его тщеславие куда сильнее, чем императорская власть.

Нерон

Армия победителей

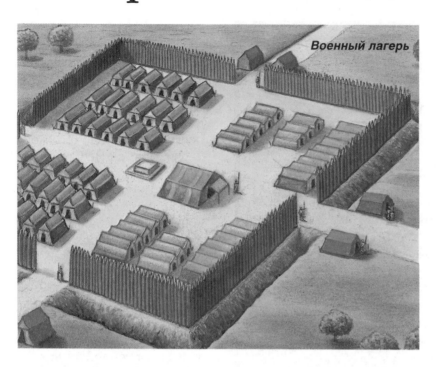

Военный лагерь

Своим могуществом Рим был обязан дисциплинированной и организованной армии. Ко II в. н. э., завоевав полмира, римская армия перешла к обороне своих рубежей. От поддержки армии зависела императорская власть.

Двадцать лет на службе в легионе

Основным подразделением римской армии был легион, насчитывающий примерно 5000 пехотинцев. Легионеров набирали из числа римских граждан. Солдатам хорошо платили и обучали ремеслу. Срок службы был долгий – 20 лет. По окончании службы ветераны получали земельные участки и деньги. Солдат для вспомогательных войск – кавалерии и легкой пехоты – рекрутировали в основном из населения завоеванных провинций. Отслужив 25 лет, они получали римское гражданство. В мирное время солдаты строили дороги, акведуки, пограничные укрепления.

Физическая закалка

Во время военных кампаний римская армия проходила в день около 25 км. В зимние месяцы и в мирное время солдаты жили в лагере. Для поддержания формы три раза в месяц они совершали 30-километровый марш-бросок, половину дистанции бегом и с полной боевой выкладкой весом около 40 кг.

Суровая дисциплина

Римская армия славилась дисциплиной. Невыполнение приказа каралось смертной казнью. Если солдат засыпал на посту, его отдавали под суд, а затем забивали насмерть. За другие провинности солдат могли понизить в чине, перевести на тяжелые работы, лишить гражданства, продать в рабство.

Римский легион, смыкая щиты, выстраивает «черепаху».

Рим и его провинции

Римская империя была разделена на провинции. Население этих провинций – от сирийцев и египтян до галлов и иберов – отличалось друг от друга языком, религией, образом жизни. Римлянам удалось объединить их, и постепенно покоренные народы восприняли культуру Рима.

Секреты побед

В конце III в. до н. э. Рим имел в своем армейском резерве до миллиона солдат. Что могли сделать 30 тыс. греков против 270 тыс. наступающих на них римлян? Тем более что тактика римлян сбивала противника с толку. Римские легионеры продвигались вперед не единым строем, а тремя шеренгами, которые в атаке быстро сменяли друг друга. Потом они собирались в один кулак, и противник, уже ослабленный, с ужасом видел появившийся перед ним единый, еще более грозный фронт. Когда неприятель обращался в бегство, отряды легковооруженных пехотинцев и кавалерия бросались преследовать отступающего противника.

После двухмесячной осады в 52 г. до н. э. войска Цезаря взяли крепость Ализию. Так завершилось полное завоевание Галлии Римом.

Римляне и провинции

Доходы с провинций составляли основной источник богатства Римской империи. Управляли провинциями римские наместники. Границы империи охранялись римскими солдатами. К местам их квартирования стекались торговцы. Вокруг военных укреплений образовывались поселения, из которых выросли знаменитые города. Для быстрого передвижения войск, а также для снабжения армии римляне создали гигантскую сеть дорог.

Поклонение богам

Как заглянуть в будущее

Религия римлян была неразрывно связана с жизнью общества. Казалось, боги принимали живое участие в делах Рима. Жрецы выступали в роли советников по многим вопросам. Никакие серьезные дела не начинались без предварительных публичных религиозных обрядов. Как и греки, римляне внимательно следили за мельчайшими признаками проявления божественной воли. Полет птиц, состояние внутренностей жертвенных животных, частота вспышек молний во время грозы — все могло служить добрыми или зловещими предзнаменованиями.

Римляне поклонялись многим богам. Завоеванным народам они позволяли сохранять свою религию. С IV в. до н. э. в римский пантеон проникают греческие боги.

В некоторых культах обязанности жрецов выполняли женщины.

Для дома и страны

Римляне почитали богов судьбы, городов, духов-покровителей каждого человека. Особое место в их верованиях занимали боги домашнего очага. Для отправления обрядов в честь домашних богов римская семья собиралась вокруг домашнего алтаря. В домах сооружалиларарии – что-то вроде маленькой часовни, где находились восковые статуэтки Ларов (покровителей дома) и Пенатов (хранителей очага и запасов продовольствия). Глава семьи ставил перед алтарем медовые лепешки, вино, цветы или бросал предназначенную богам часть обеда в пламя очага. Общегосударственное значение имел культ Гения, покровителя императора и всех мужчин. Женщинам покровительствовала Юнона.

Новая религия

В начале I в. в Иудее, одной из покоренных римлянами провинций Палестины, зародилась новая религия – христианство, которая быстро распространилась по всей империи. Но до официального признания христианства его последователи подвергались суровым гонениям.

Преследования первых христиан
Христиане не признавали языческих богов, и это вынуждало римлян опасаться гнева небес. Новая религия почитала не мифических персонажей, а реального человека, чья жизнь и учение стали предметом поклонения и веры. Кроме того, христиане отказывались обожествлять императора и не признавали его официального культа. Это дало римлянам основание обвинять христиан в заговоре против императора. В годы правления Диоклетиана, христиан, не желавших отречься от своей веры, подвергали безжалостным преследованиям: их заживо сжигали или бросали на расправу диким зверям. Чтобы молиться и совершать свои обряды, христиане собирались тайно, по ночам.

Сон императора Константина
Бесстрашие христиан, ради веры идущих на мученичество, производило большое впечатление на язычников-римлян. Кроме того, в христианстве их привлекала идея общего братства, независимо от сословия и национальности. Все больше римлян принимали крещение. В 313 г. император Константин официально признал новую религию. По легенде, однажды перед битвой ему приснился вещий сон: он увидел в небе крест с распятым Христом. Сражение завершилось победой, и тогда Константин принял крещение. Его примеру последовали сыновья.

Вечный город

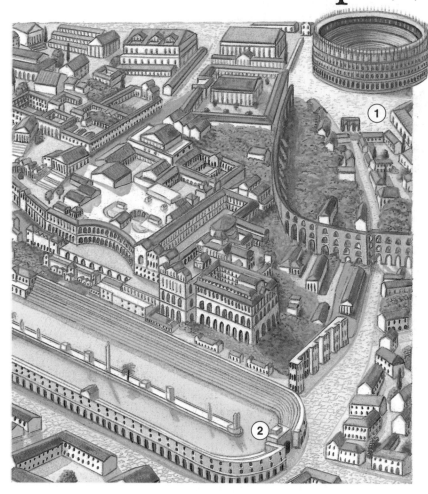

1 – Колизей; 2 – Большой цирк

Что такое форум?

Форум был административным и финансовым центром города. Он представлял собой просторную площадь, окруженную красивыми зданиями общественного назначения. Здесь устраивали ярмарки, праздновали военные победы, произносили надгробные речи. На форуме блистали красноречием римские ораторы, проходили заседания судов, на которых оттачивались положения римского права.

Оживленные улицы

Величественные ансамбли общественных зданий были окружены лабиринтом извилистых улочек с булыжными мостовыми. Ездить по ним в экипажах в течение дня запрещалось. Здесь постоянно бурлила толпа пешеходов: торговцы, рабы с тяжелым грузом. Во II в. в Риме насчитывалось около миллиона жителей! Земли не хватало, и иметь отдельный дом могли только богачи. Большинство римлян жили в многоквартирных домах. Чем выше этаж, тем жилье было меньше и дешевле. Улочки были такими узкими, что люди переговаривались, высунувшись из окон домов. Уличного освещения не было, а водопровод был...

Во II в. н. э. Рим был самым большим и богатым городом Европы. Императоры стремились превратить его в символ своего могущества. Они строили форумы, храмы, триумфальные арки и амфитеатры. Жители римских провинций возводили свои города по образцу Вечного города.

Рим – образец для подражания

В эпоху расцвета империи распространился римский тип городской планировки: город состоял из жилых кварталов, общественных зданий, площадей (форумов) и районов ремесленников. Римляне научились делать из известкового раствора, щебня и вулканического песка материал типа бетона, что позволило возводить массивные и прочные сооружения.

Богатые римляне

Термы были оборудованы бассейнами с горячей, теплой и холодной водой. Под полом находилась сложная система подогрева воды.

Состоятельные римляне делили свой день между общественными обязанностями и семьей. При этом они никогда не забывали об удовольствиях, которые ждали их в банях и на пирах, в театре или на гладиаторских боях.

Трудовые утренние часы

По утрам богатый римлянин принимал в своих покоях бедных граждан. Он раздавал им еду, надеясь, что его великодушие будет вознаграждено в момент выборов: ведь многие римляне мечтали о политической карьере. Уладив личные дела, связанные с поместьем и состоянием, он отправлялся на форум или в сенат. К полудню его рабочий день был закончен! Теперь его ждала баня, потом обед, который редко проходил без гостей.

Бани

Общественные бани (термы) оборудовались гимнастическим залом, площадками для игр, бассейнами с горячей, теплой и холодной водой. Бани были излюбленным местом отдыха римлян. Там они занимались физическими упражнениями, обменивались новостями. Вместо мыла в кожу втирали оливковое масло. После парной погружались в бассейн с холодной водой. Потом делали массаж и шли домой обедать.

Главная трапеза

К обеду подавали закуски, мясо, десерт, а в конце обеда пили вино, разбавленное водой. Вилок не было, кушанья брали руками. Гости возлежали вокруг стола на покрытых тканями и подушками ложах. Их развлекали музыканты и поэты.

Воспитание римлян

В римской школе

Обряд наречения

В ходе семейной церемонии отец брал дитя на руки, признавая его своим. Но случалось, что отец отвергал младенца, например из-за физических изъянов. Таков был обычай, освященный законом. Тогда новорожденного оставляли на улице, и приемная семья воспитывала его как раба или собственного ребенка. Каждый римлянин имел несколько имен. Личных имен было всего 19, например Гай, Марк, Тит. Родовое имя (фамилия) часто заканчивалось на «-ius», например Claudius – Клавдий. К нему добавлялось наследственное прозвище, указывавшее, например, на происхождение предка (Afer – африканец), и иногда личное прозвище, отражавшее индивидуальные черты: скажем, Руф (Rufus) – «рыжий».

Юные римляне получали более или менее основательное образование. Элементарные школы давали начальное образование – обучали чтению, письму и счету. На средней ступени изучали греческую и латинскую грамматику, литературу, историю. Юноши из знатных семей, готовившие себя к политической карьере, получали высшее образование, основу которого составляли философия и риторика. Девочки обычно ограничивались элементарной школой.

Дети играли в кости и в куклы. Популярны были игры в мяч. Его шили из кожи и набивали опилками, перьями или шерстью.

Жизнь раба

Рабами становились в основном военнопленные, жертвы похищений. Реже должники. Дети рабов и брошенные дети тоже были рабами. Рабы не имели никаких прав: ни гражданских, ни юридических, но некоторые, например рабы императора, были могущественны и уважаемы.

Как с ними обращались?

В отличие от греков римляне не относились к рабам как к вещам, а государство следило, чтобы хозяева не были слишком жестокими. В I—II вв. рабам разрешалось создавать семьи. Рабы были заняты в домашнем и сельском хозяйстве. Особое место занимали рабы-учителя и врачи. У рабов, трудившихся на рудниках, условия жизни были самыми тяжелыми, и, если с ними обращались плохо, хозяев привлекали к суду.

В богатых семьях

В богатом доме всюду суетились рабы, занятые различной домашней работой – в саду, на кухне, в детской. Хозяин кормил их, одевал, обеспечивал жильем, но за любые провинности наказывал. Убийство раба в Риме не считалось преступлением.

Вольноотпущенники

Иногда в благодарность за хорошую службу хозяин даровал рабам вольную. Богатые римляне любили показать свое великодушие, десятками отпуская рабов на волю. Вольноотпущенники могли добиться богатства. Но какова бы ни была их судьба, они сохраняли верность своему патрону. Один из самых знаменитых вольноотпущенников, Нарцисс, был секретарем императора Клавдия.

Восстание Спартака

Гладиаторов набирали из рабов и обучали в специальных школах. В 73 г. до н. э. несколько десятков гладиаторов под предводительством Спартака подняли восстание. К нему примкнули десятки тысяч рабов. Два года они сопротивлялись римской армии, но все же были разбиты. Спартак пал в бою, а более 6000 пленных были распяты на крестах.

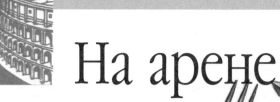

На арене

Римляне очень любили всякого рода зрелища. Императоры и богатые граждане тратили целые состояния, чтобы удовлетворить эту страсть. Таким способом они обеспечивали себе популярность, а народу «зрелища».

Борьба без пощады

Зрители до отказа заполняли амфитеатр. Площадку для представлений (арену) посыпали песком, который впитывал кровь жертв. Быки, львы, носороги, кони, медведи, слоны убивали друг друга или гибли под ударами мечей гладиаторов. Публика ревела от восторга, наблюдая за этой резней.

Скачки на колесницах

Ристания – состязания колесниц – были еще одной страстью римлян. Любители пари делали ставки на одну из четырех команд, участвовавших в забеге. Команды различались по цвету одежды и повозок...

Кто такие гладиаторы?

Их набирали из рабов, преступников или добровольцев. Каждый удар, каждая рана, кровь на арене возбуждали зрителей, и те криками подбадривали бойцов, призывая их не жалеть сил. Случалось, что раненый гладиатор просил пощады. Тогда император обращался к публике. Указывая большим пальцем вверх или вниз, зрители выносили поверженному приговор: соответственно оставить в живых или прикончить. Если гладиатор одерживал победу во многих боях, он получал свободу и становился знаменитостью.

Возницы рисковали жизнью: на повороте возница мог задеть столб барьера и упасть. Нередко случались и столкновения колесниц.

Великие строители

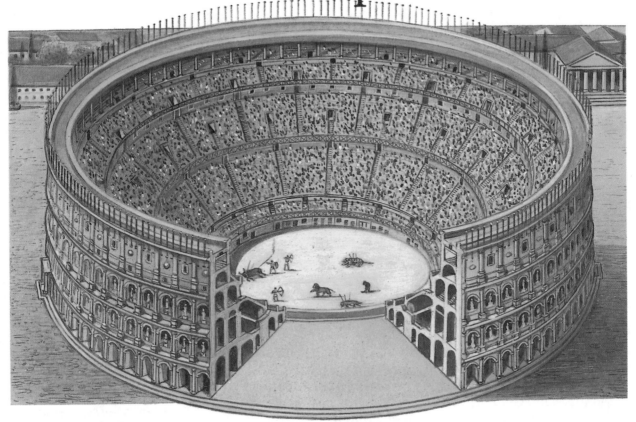

Римляне были искусными зодчими. Они не знали себе равных в строительстве мостов, акведуков и гигантских зданий, которые пережили века.

Что строили римляне?

Римляне широко использовали мощные купольные и арочные конструкции, которые позволяли придать размах и монументальность термам, храмам и другим общественным сооружениям, символизировавшим могущество государства. Для строительства римляне использовали обожженный кирпич, туф, изобрели бетон из смеси известкового раствора с щебнем и вулканическим песком. Римляне разработали совершенную систему водоснабжения своих городов. Акведуки – мосты с системой желобов-водоводов – до-

ставляли воду от источника к городскому резервуару. Их строили над долинами и оврагами. Из резервуара вода по свинцовым трубам направлялась к фонтанам, термам, общественным туалетам и жилищам.

Колизей

Самый большой римский амфитеатр вмещал более 50 тыс. зрителей. Строительство Колизея началось по приказу императора Веспасиана в 72 г. н. э. и продолжалось всего 8 лет. Система насосов, установленных в подвальных помещениях, позволяла превращать арену в искусственное озеро, где проводились морские сражения. 76 входов, ведущих в Колизей, и десятки коридоров облегчали движение зрителей и помогали избежать толкотни после представления.

Торговля

Римляне испытывали влияние со стороны покоренных народов, например этрусков и особенно греков, архитектуре и искусству которых римляне подражали. Кроме культурных связей римляне развивали торговые и другие отношения с ближними и дальними народами.

Приграничный обмен

Римские легионеры, охранявшие рубежи империи, посещали своих соседей по ту сторону границы, которых они называли «варварами». Пастухи-германцы снабжали свежим мясом римские лагеря на берегу Рейна. Легионеры покупали у них также шкуры для изготовления обуви и палаток. Так эти два разных мира узнавали друг друга. Варваров с III в. н. э. стали брать на службу в римскую армию. Римский флот уничтожил пиратов. Это тоже привело к оживлению торговли. Для расчетов римские императоры чеканили медные, серебряные и золотые монеты. По всей империи свободно перемещались солдаты, купцы и политики, а вместе с ними распространялись новые знания.

За пределами империи

Несмотря на огромные размеры своей империи, некоторые товары римляне привозили из-за рубежа. Так, меха и кожа поступали из Северной Европы. Из Черной Африки доставляли слоновую кость, зерно, золото и диких зверей. Шелк, за который знать готова была платить золотом, привозили из Китая, пряности, благовония и драгоценные камни – из Индии. Все эти редкостные товары стекались в Остию – главную торговую гавань Рима. Рим экспортировал вино, оливковое масло и керамику.

Из разных стран привозили экзотических животных для зверинцев и боев на арене Колизея.

Закат империи

С III в. н. э. покой и незыблемость империи становились все более хрупкими: богатства, накопленные Римом, вызывали зависть соседних народов.

Разделение империи

В III в. со всех сторон империи угрожали враждебные армии: с севера и запада племена варваров, прежде всего франки, алеманны, готы, с востока – персы. Все чаще вспыхивали мятежи и восстания. Провинции больше не чувствовали себя в безопасности под властью Рима. Примерно в 300 г. император Диоклетиан произвел реорганизацию административной системы и разделил империю на две части: Восточную и Западную, в каждой были свои правители. На какое-то время порядок был восстановлен. В 324 г. император Константин получил в управление всю Римскую империю. В 330 г. он объявил новой столицей Константинополь. Для укрепления обороны в 395 г. империя окончательно разделилась на Восточную и Западную.

Великие нашествия

В V в. пришедшие из Азии племена гуннов, грозных воинов-кочевников, объединились под властью царя Аттилы. Они угрожали не только Риму, но и всем варварским племенам на территории империи. Эта опасность сплотила все разнородные силы, но после поражения гуннов племена варваров стали захватывать провинции Западной империи. В 410 г. Рим разбили вестготы, а в 455 г. – вандалы. Наконец, в 476 г. Западная Римская империя рухнула под натиском германцев. Восточная империя осталась нетронутой и под названием Византийской просуществовала еще почти 1000 лет до завоевания ее турками в 1453 г.

Император Константин

Китай

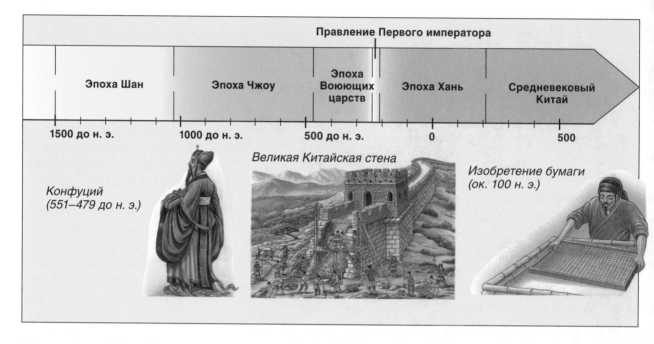

Правление Первого императора

| Эпоха Шан | Эпоха Чжоу | Эпоха Воюющих царств | Эпоха Хань | Средневековый Китай |

1500 до н. э.　　1000 до н. э.　　500 до н. э.　　0　　500

Конфуций (551–479 до н. э.)

Великая Китайская стена

Изобретение бумаги (ок. 100 н. э.)

История китайской цивилизации началась примерно 3500 лет назад. С 221 г. до н.э. до 1912 г. Китай был единой великой империей. Открытия китайцев в области науки и техники, китайская философия внесли заметный вклад в историю человечества.

Эпохи Шан и Чжоу

Китайская цивилизация – одна из древнейших в мире. Ее начало отмечено правлением могущественных монархических династий. Первой известной династией была Шан. В конце XI в. до н. э. представители династии Чжоу прогнали семейство Шан и утвердили свою власть. В 481–221 гг. до н. э. правители семи царств – Цинь, Хань, Вэй, Чжао, Янь, Ци, Чу, на которые разделился Китай, вели непрекращающиеся междоусобные войны. В результате длительных кровопролитных войн династия Чжоу исчезла, а этот период в истории Китая получил название эпохи Борющихся, или Воюющих, царств.

Первый император

В 221 г. до н. э. правитель царства Цинь одолел соперников и принял титул Шихуанди – Первый император. Он объединил страну и железной рукой управлял ею. При нем была возведена Великая Китайская стена. Народ его не любил. Вскоре после смерти императора династия Цинь прекратила существование, в чем немалую роль сыграло крестьянское восстание 207 г. до н. э., которым руководила династия Хань.

Империя Хань

Императоры династии Хань значительно расширили границы империи к западу, северо-востоку и югу, завоевывая земли за рекой Янцзы. Этой огромной территорией они управляли, опираясь на крупных чиновников – мандаринов. Однако крестьянские восстания уничтожили и эту самую сильную и богатую династию Древнего Китая. Началась эпоха Средневековья. Последний император Китая был низложен в 1912 г.

«Срединная империя»

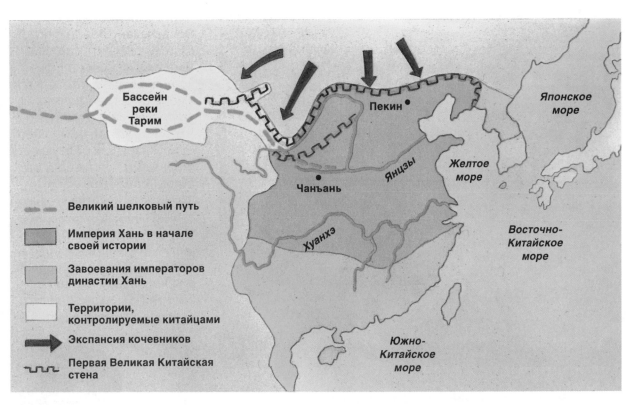

Великий шелковый путь

Империя Хань в начале своей истории

Завоевания императоров династии Хань

Территории, контролируемые китайцами

Экспансия кочевников

Первая Великая Китайская стена

Бассейн реки Тарим

Пекин •

Японское море

• Чанъань

Янцзы

Желтое море

Хуанхэ

Восточно-Китайское море

Южно-Китайское море

Люди заселили плодородные земли близ реки Хуанхэ еще 8 тыс. лет назад. Они занимались земледелием и скотоводством. Бассейн Желтой реки – сердце Древнего Китая. Расширив владения на запад и на юг, китайцы создали Срединную империю. Название происходит из представлений жителей Китая о том, что они живут в центре – «середине» – мира.

Укрощенная Хуанхэ

Считается, что покорить капризную реку сумел в XXII в. до н. э. легендарный герой Юй, основатель династии Ся. Он построил систему дамб и каналов, которые не позволяли реке выходить из берегов. Легенда гласит, что усмирить Хуанхэ Юй смог благодаря карте рек, которую вручил ему чудесным образом явившийся дух реки.

Желтая река

Желтая река, или Хуанхэ, получила свое название благодаря желтому илу, который она приносит с тибетских высокогорий. Огромные массы ила оседают в русле реки. В годы, когда паводок особенно велик, вода прорывает дамбы и затопляет окрестности.

Страна контрастов

Климат в Китае очень разнообразный. Зимой по северным равнинам Китая гуляет ледяной ветер, а летом солнце и жара благоприятствуют быстрому созреванию зерновых культур. К югу от Янцзы, или Голубой реки, климат тропический, и обильные муссонные дожди способствуют получению богатых урожаев риса. На западе Китая, среди гор, степей и пустынь, ведут полукочевой образ жизни скотоводы.

Китайская мудрость

В основе древних китайских верований лежало наблюдение за ритмами природы и ее капризами: землетрясениями, засухами, наводнениями. В VI в. до н. э. великие мудрецы Лао-цзы и Конфуций, опираясь на древние традиции, создали свои религиозно-философские системы.

Вездесущие духи

Древние китайцы считали, что горы, реки, леса, озера, ветер населены духами. Чтобы заслужить покровительство духов, им надо поклоняться. Китайцы обращались к шаманам, которые умели вызывать духов и общаться с ними. Китайцы поклонялись также умершим предкам.

Инь и ян

Инь и *ян* в воззрениях китайцев – две противоположные и дополняющие друг друга силы, равновесие которых обеспечивает гармонию мира. Воплощение энергии *инь* – тьма, холод, земля, луна. Это пассивное женское начало. *Ян* – это свет, тепло, небо, солнце, активное мужское начало.

Что такое даосизм?

Создателем этой философской системы считается Лао-цзы, живший в VI в. до н. э. Он учил, что каждое живое существо должно искать высший «путь» («дао»). Лао-цзы проповедовал простую жизнь, свободную от страстей и погони за богатством, призывал покорно принимать неудачи. Только так можно достичь мира в душе и единства с природой. Медитация и обретение гармонии с природой для человека – залог бессмертия. Даосизм широко распространился в Китае.

Символ гармонии сил инь (черный цвет) и ян (белый цвет), в каждой из которых есть частичка другой.

Буддизм

В I в. н. э. чужеземные купцы познакомили китайцев с буддизмом. Это учение нашло много сторонников в неспокойные века, последовавшие за падением династии Хань.

Конфуций

Конфуций не оставил после себя письменных трудов. Его слова были увековечены на бумаге учениками и последователями.

Мудрость Конфуция

Конфуций сравнивал государство с семьей, построенной на взаимном уважении. Правитель должен соблюдать моральные законы и заботиться о подданных, а те – почитать его. Главные добродетели – уважение к другому, терпимость, умение прощать, верность, готовность к самопожертвованию, вера, чувство долга и почтение к предкам. Учение Конфуция о нравственном самоусовершенствовании оказало сильное влияние на китайскую культуру.

В эпоху Воюющих царств жил выдающийся мыслитель по имени Конфуций (551–479 до н. э.). Он посещал усадьбы богачей и царские чертоги, пытаясь донести до сильных мира сего слова мудрости, которые помогли бы людям стать лучше.

Кто такой Конфуций?

Конфуций родился в семье бедняка. В трехлетнем возрасте он потерял отца. Мать воспитала его в духе уважения к традициям и древним обычаям. Он рос в те времена, когда в царстве Чжоу обострилась междоусобная борьба. Став взрослым и отчаявшись увидеть вокруг что-либо, кроме хаоса, он решил заняться просветительством. Особое внимание Конфуций уделял нравственному воспитанию людей, стремясь сделать их разумнее и добрее. Но ни один из правителей не желал слушать советы Конфуция. Тогда мудрец возвратился в свою провинцию и открыл школу. Только много лет спустя императоры признали значение философии Конфуция, и на протяжении двух тысячелетий она влияла на китайское общество.

Первый император

Жизнь властителя

В Китае властитель, будь он главой небольшого царства или императором, почитался как бог. Никто не препятствовал его решениям и действиям. Властитель никогда не играл, не пел, не смеялся. Его стан был прям, движения медленны и величавы. Говорил он мало, отвечал только «да» или «нет». Его еда состояла из строго определенных блюд. Тот, кто обращался к властителю, не должен был поднимать глаза выше его подбородка. Если властитель умирал, его слуг лишали жизни и хоронили в могиле господина.

Ин Чжэну было всего 13 лет, когда он занял трон царства Цинь. Талантливый полководец и политик, он победил правителей всех воюющих царств на территории Китая и в 221 г. до н. э. провозгласил себя Шихуанди – Первым императором. Шихуанди правил страной до 210 г. до н. э.

Единый Китай

Управление обширной империей Шихуанди возложил на назначенных им чиновников. Они были обязаны проводить в жизнь реформы, разработанные императором. Законы, система мер и весов, деньги, письменность, календарь – все это стало единым для Китая. Даже расстояние между колесами повозок было по всей стране одинаковым!

Гонения на философов

Реформы Шихуанди вызвали недовольство мудрецов, и некоторые из них даже осмелились высказать неодобрение самому императору. Он приказал казнить 460 философов, а также сжечь все старые книги, в которых рассказывалось об истории властителей Китая. В огонь были брошены и сочинения, где излагалось учение Конфуция.

С императором погребли «терракотовую армию» – сотни глиняных воинов в натуральную величину.

Великая Китайская стена

Император Шихуанди стремился сохранить единство империи. По его указанию была построена сеть дорог и каналов, а для безопасности северной границы он повелел возвести гигантское сооружение – Великую Китайскую стену, которая сохранилась до наших дней.

Для чего была возведена Великая стена?

Великая Китайская стена связывала между собой древние оборонительные укрепления, защищавшие когда-то Китай от набегов кочевников. По ней проходила дорога, которая соединяла различные районы страны. Эта дорога использовалась для снабжения провиантом и другими товарами отдаленных гарнизонов. Впрочем, вскоре выяснилось, что гигантское заградительное сооружение не смогло полностью изолировать Китай от вторжений кочевых племен.

На строительстве Великой стены были заняты крестьяне, заключенные, солдаты... Руководила работами и осуществляла суровый контроль над ними армия.

Ценой человеческих жизней

На строительстве стены трудились, как рабы, тысячи людей, подчиняясь жесткой дисциплине. Многие умирали от непосильного труда, истощения, болезней. Умерших хоронили там, где они упали, или замуровывали в стену. Почти две тысячи лет правители Китая заставляли людей продолжать эту работу.

Уникальное сооружение

Стена протянулась на 3500 км, ее высота – 9 м, а ширины хватало для проезда колесницы. 25 000 сторожевых башен были расположены через равные интервалы. В XV в. стену реконструировали. Это одно из немногих творений рук человека, которые видны с Луны.

«Черноголовые»

Крестьянские восстания
Монархи и чиновники нередко отрывали крестьян от семьи и посылали на строительство дамб, каналов и дорог. Землю, оставшуюся без хозяина, захватывали богачи и заставляли трудиться на ней рабов. Когда к этим бедам добавлялись наводнения и голод, крестьяне обвиняли во всех бедах императора. В этих условиях начинались крестьянские восстания. В 207 г. до н. э. восставшие крестьяне свергли династию Цинь. В 184–204 гг. н. э. крестьянское восстание «желтых повязок» привело к падению династии Хань.

Мелких хозяев, каких среди китайских крестьян было большинство, называли «черноголовыми». Жизнь их проходила в тяжелом труде. Монотонное существование скрашивали лишь сельские праздники.

Китайские земледельцы раньше других стали пользоваться железными инструментами и плугом, что позволяло им лучше обрабатывать землю.

Работа
У мужчин и женщин были разные обязанности. Работа в поле, охота и рыболовство считались мужским делом. Женщины разводили шелковичных червей и ткали, а в сельских общинах собирали урожай наравне с мужчинами. Крестьяне выращивали пшеницу, просо, рис. Зимой женщины пряли нити из конопли и шелка. Животных в деревне держали редко: в основном это были свиньи, бараны, домашняя птица.

Праздники
Сельские праздники весной и осенью проходили под открытым небом. Сводились они к играм, танцам и пению. В такие дни девушки и юноши имели возможность встретиться и присмотреть себе пару.

Китайская семья

В Древнем Китае три поколения семьи жили под одной крышей. Семейная жизнь подчинялась строгим правилам. Дети почитали и слушались родителей, а жена даже по закону повиновалась мужу. Мальчики и девочки получали разное воспитание.

Рождение ребенка

Китайцы сообщали о рождении ребенка, вешая над дверью дома лук и стрелы, если родился мальчик, и полотенце или кусок ткани, если на свет появлялась девочка. Ребенок в семье был радостью, если рождался мальчик, но становился обузой, если на свет появлялась девочка. Рождение мальчика праздновали широко и шумно, а вот рождение девочки – значительно скромнее. Среди всех членов семьи самыми бесправными были дочери. От них требовалось не просто послушание, но беспрекословное повиновение.

Воспитание

И мальчики и девочки раннее детство проводили с матерью. В семилетнем возрасте детей разделяли. Мальчики отправлялись к учителю, который преподавал вежливые манеры, танцы, стрельбу из лука, управление лошадьми. Девочки с детских лет должны были участвовать в любой домашней работе. В подростковом возрасте их обучали шитью. Девочкам не разрешалось предаваться играм и безделью, общаться с соседскими мальчишками.

Брак по договоренности

В китайской семье младшие беспрекословно подчинялись старшим. Молодые люди вступали в брак довольно рано, лет с четырнадцати, но сами не могли выбрать себе пару. За них все решали родители. После свадьбы молодая жена уходила в дом мужа и жила там под надзором свекра и свекрови.

Письмо и каллиграфия

Письменность в Китае появилась за 1500 лет до н. э., и пользуются ею до сих пор! Тысячи китайских иероглифов обозначают предметы или отвлеченные понятия. Так что детям, прежде чем они научатся писать, нужно запомнить сотни иероглифов.

Пиктограммы
Первыми знаками китайской письменности были упрощенные рисунки, так называемые «пиктограммы». Это были изображения жестов или легко узнаваемых предметов и явлений. Читались они сверху вниз. С течением времени знаки менялись, становясь все более абстрактными.

На чем писать?
Вначале иероглифы служили для того, чтобы отмечать на черепашьем панцире результаты гадания. Позже китайцы стали писать на керамике, камне, шелке. Первые книги делали из бамбуковых или деревянных планок, скрепленных между собой полосками кожи или шелка.

Каллиграфия
Лишь немногие китайцы могли научиться искусству письма – каллиграфии. Учитель рассказывал воспитанникам о порядке, в котором нужно наносить на материал элементы каждого иероглифа (в некоторых иероглифах было более десяти таких элементов). Он обучал также красоте, четкости и пропорциональности знаков. Иероглифы рисовали волосяной кисточкой. Пластинки сухой туши растирали в каменной или керамической ступке. Держа кисточку в руке и отведя локоть, будущий каллиграф заучивал движения, которые придавали иероглифам выразительность и изящество.

Вот как менялись иероглифы: слева – иероглиф, обозначающий «птицу», справа – «дерево».

Разведение шелкопрядов

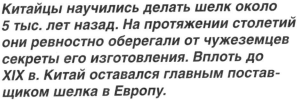

Китайцы научились делать шелк около 5 тыс. лет назад. На протяжении столетий они ревностно оберегали от чужеземцев секреты его изготовления. Вплоть до XIX в. Китай оставался главным поставщиком шелка в Европу.

Легенда о китайском шелке

Как началось производство шелка в Китае, до сих пор остается загадкой. Согласно легенде, царю Хуанди, жившему в середине III тысячелетия до н. э., явилась волшебная гусеница и предложила сотканную ею ткань. Супруга царя, придя в восторг при виде дивной ткани, «легкой, как облако, и гладкой, как вода», решила сама выращивать шелковичных червей, кормя их листьями шелковицы. Она и была первой женщиной, научившейся ткать шелк.

Для кормления гусениц мужчины собирали листья шелковицы. Гусеницы, помещенные на стеллажи, постепенно окружали себя коконом. Пока куколка не успела превратиться в бабочку, женщины размягчали коконы в горячей воде и сматывали шелковую нить.

Выращивание червей

Выращиванием шелковичных червей (личинок тутового шелкопряда) занимались женщины. Личинки (гусеницы) свивали кокон из шелковых нитей и становились куколками.

Тоньше паутинки

Прежде чем куколка успевала разорвать драгоценный кокон, чтобы превратиться в бабочку, женщины собирали шелковую нить. Длина нити с одного кокона была около 1 км, а ее вес – менее 1 г! Женщины скручивали несколько нитей в одну, обрабатывали пряжу и ткали из нее материю. Ткань окрашивали натуральными красками.

Великие изобретатели

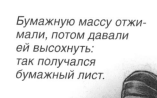

Главный астролог был одним из самых высокопоставленных сановников при китайском императорском дворе.

Лемех плуга, хомут, узда, водяная мельница, тачка, стремя, компас, порох, фарфор, часовой механизм... – все эти полезные вещи создали китайцы и начали применять гораздо раньше европейцев. На протяжении многих столетий научные и технические достижения китайцев были выше, чем у других народов.

Хитроумные мосты
Уже в VI в. до н. э. китайцы были опытными металлургами. У них были плавильные печи для выплавки чугуна, железа и стали. Из металла они изготавливали тросы для поддержки висячих мостов. Такие мосты, перекинутые через ущелья в горах на западе Китая, позволяли купцам, солдатам и путешественникам избегать кружных путей.

Глядя на звезды
Китайские астрономы определили положение звезд по отношению к экватору. Сложные расчеты позволили им составить точный календарь. Китайцы верили в предсказания астрологов. Поэтому, назначая дату какой-нибудь церемонии или важной работы, они старались узнать, что предвещает небо.

Бумага
Считается, что бумагу изобрел императорский чиновник Цай Лунь в 105 г. н. э. Первые бумажные листы были изготовлены из волокон конопли. Позже для производства бумаги использовали кору шелковицы, бамбук, лен, рисовую солому.

Бумажную массу отжимали, потом давали ей высохнуть: так получался бумажный лист.

Китайская медицина

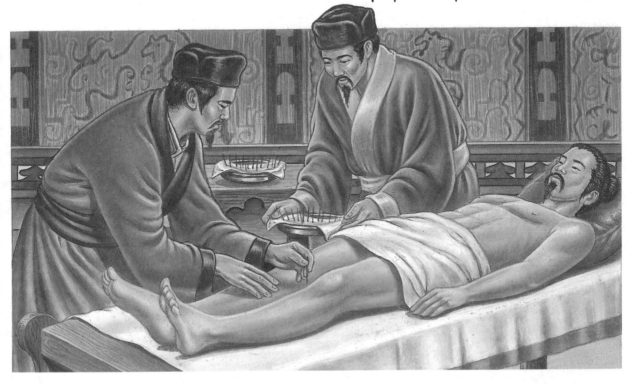

Для китайцев тело человека – уменьшенная модель мироздания. Когда этот малый мир функционирует в том же ритме, что и большой, человек здоров. Если гармония нарушается, человек заболевает.

Тело как подобие мироздания

По представлениям китайцев, каждой части тела соответствует элемент мироздания. Голова – это небо. Ноги – земля. Грудь и левая сторона тела – сила *ян*. Спина и правая сторона – *инь*. Руки и ноги – четыре времени года. Глаза – солнце и луна. Дыхание – ветер. Кровь – дождь.

Что такое болезнь?

Когда человек плохо ест и мало спит, он утрачивает согласие с ритмами природы. Для традиционной китайской медицины болезнь – это нарушение равновесия между

Иглотерапевт должен очень точно попасть иглами в определенные точки тела, расположенные на линиях, где циркулирует энергия.

человеческим телом и Вселенной. Таким образом, если восстановить гармонию между ними, человек поправится и будет здоров.

Травы и иглы

Китайские врачи с давних пор лечат больных вытяжками и настоями, приготовленными из трав, фруктов, зерен, минералов, а также органов, костей и тканей животных. Другой метод лечения, зародившийся в глубокой древности, – акупунктура. Китайцы считали, что в теле человека есть 12 линий, по которым циркулирует энергия. Иглы, введенные в особые точки, влияют на ток энергии и исцеляют болезни. Тот конец иголки, который держит врач, улавливает космические силы, а другой передает их больному.

Жестокие войны

Старые войны

В ранней истории Китая война была скорее состя-занием, ставкой в котором была честь монарха или вельможи. Победитель определялся в сражении на колесницах. В легкий двухколесный экипаж впря-гали четверку коней. Один воин управлял колесницей, справа от него находился воин с копьем, слева – луч-ник. Схватка могла быть жестокой, однако, если противник оказывался на земле, его уже не трогали.

Новая военная тактика

Во II и I вв. до н. э. Китай вел борьбу с гуннами, коче-выми племенами, то и дело нарушавшими северную границу страны. Грозные и свирепые воины на силь-ных и быстрых лошадях с убийственной меткостью засыпали противника стре-лами. Китайцы вынуждены были пересесть с колесниц в седла, а копья сменить на арбалеты, изобретенные ими в 450 г. до н. э. Войны китайцев с гуннами про-демонстрировали боеспо-собность армии Древнего Китая, которая отстаивала независимость страны.

Когда-то давным-давно война в Китайской империи представляла собой противостояние знатных людей, которые соблюдали правила великодушия и чести. Но в эпоху Воюющих царств военные действия преврати-лись в беспощадные сражения. На поле боя оставались тысячи убитых и раненых. Однако надо сказать, что период непрерывных междоусобных войн имел и поло-жительные последствия – он повлек за собой значитель-ный скачок в развитии военного дела и усовершенство-вании оружия.

Шелковый путь

В 138 г. до н. э. император У-ди из династии Хань отправил посла со свитой на Запад, чтобы узнать, что за народы обитают в тех краях. Посол надеялся завязать соседские отношения с племенами, кочующими в степях к северо-западу от Китая. Эта экспедиция и положила начало Великому шелковому пути, по которому на протяжении столетий велась торговля между Востоком и Западом.

Первый караван
В 114 г. до н. э. сто китайских купцов направились из столицы Чанъань на Запад. Так началась торговля между Китаем и другими странами по Великому шелковому пути. К торговым караванам присоединялись ремесленники и художники, желавшие познакомиться с новыми землями. Путь был долгим. Для ночлегов разбивали лагерь. Под защитой Великой Китайской стены путники

ничего не опасались, но дальше им грозили нападения кочевников, да и дорога через пустыню была тяжелой, и путешествия могли закончиться гибелью участников.

Богатые купцы
Местом встречи купцов был оазис Каши. Здесь собирались торговцы из Средиземноморья, Персии, Индии. Они привозили стекло, благовония, драгоценные камни и обменивали их на шелк, привезенный из Китая. Все у этих людей казалось непривычным: облик, одежда, язык, религия, обычаи. Китайцы возвращались домой с грузом товаров и впечатлений.

В Рим с шелком
Римляне ввозили шелк из Китая начиная с I в. н. э. Они приходили в восторг от этой ткани, такой легкой, красивой и прочной, и готовы были платить за нее золотом.

ПОСЛЕДНИЕ ДИНАСТИИ

После падения династии Хань в 220 г. н. э. периоды раздробленности чередовались в Китае с периодами относительного единства. Китайская империя просуществовала вплоть до начала XX в.

Династии Тан (618–907) и Сун (960–1279)
В эпоху правления императоров из династий Тан и Сун технический прогресс в Китае продолжался, процветали искусство и торговля. В X в. китайцы изобрели книгопечатание и порох – это были великие открытия.

Династия Юань (1279–1368)
Монгольские завоеватели пришли с севера. В 1227 г. они преодолели Великую стену и взяли Пекин. В 1280 г. монгольский хан Хубилай основал династию Юань. При монголах бурно развивалась международная торговля. Китай был открыт для внешнего мира. Венецианец Марко Поло встречался с ханом Хубилаем, который даже доверил ему в течение трех лет управлять одной из китайских провинций.

Императоры династий Мин и Цин почти никогда не выходили за стены Запретного города.

Династия Мин (1368–1644)
Императоры этой династии – приверженцы авторитарного правления. Один из них, император Юнли (1403–1424), построил Запретный город. Расположенный в сердце Пекина, этот дворцовый комплекс стал резиденцией императоров и их семей.

Династия Цин (1644–1912)
Манчьжурская династия Цин – последняя в истории Китайской империи. Последнему императору было три года, когда его посадили на трон. В конце XIX – начале XX в. Китай сотрясали гражданские войны. В 1912 г. была провозглашена республика.

Япония

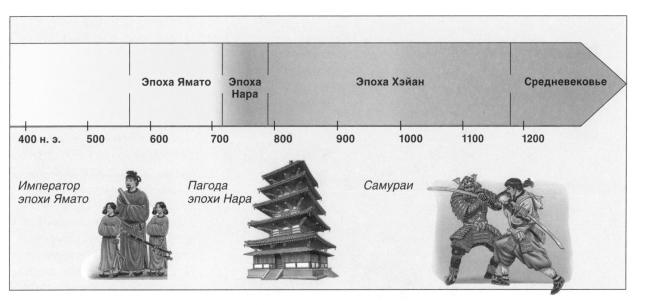

	Эпоха Ямато		Эпоха Нара	Эпоха Хэйан			Средневековье		
400 н. э.	500	600	700	800	900	1000	1100	1200	

Император эпохи Ямато

Пагода эпохи Нара

Самураи

Япония стала частью мировой истории лишь в VI в. Объединившись, она поначалу брала за образец Китайскую империю. Однако с VIII в. в Японии начала формироваться собственная, не похожая ни на какие другие цивилизация.

Эпоха Ямато (VI–VII вв.)

Япония долго оставалась разделенной на кланы, которые состояли из больших семей. Во главе каждого клана стоял вождь. В конце концов клан провинции Ямато возвысился над другими и образовал первое в истории Японии государство имперского типа. В ту эпоху японцы позаимствовали у китайцев письменность, по всей стране распространился буддизм и был составлен первый кодекс законов.

Эпоха Нара (710–784)

В 710 г. столицей и символом имперской власти стал город Нара. В эпоху Нара императорский трон несколько раз занимали женщины. Этот период считался золотым веком японской цивилизации. Пышная ар-

хитектура храмов, дворцов, садов имперской столицы олицетворяла великолепие эпохи Нара.

Эпоха Хэйан (784–1185)

В 794 г. император Камму решил перенести столицу в город Хэйан-кё (Киото). Могущественная семья Фудзивара сумела добиться такого влияния, что взяла под контроль даже власть императора. Придворные находились в непрерывных распрях друг с другом. Чтобы уладить разногласия, они обращались за помощью к военачальникам, обязанным защищать знать. В 1185 г. один из этих военачальников, Минамото, поставил во главе Японии военное правительство. В 1192 г. император назначил его военным правителем – сёгуном, и последующие 700 лет Японией правили сёгуны. Так началась эпоха японского Средневековья, время самураев – японских воинов-феодалов. В 1603 г. сёгуном стал Иэясу из дома Токугава. Его династия управляла Японией до свержения сёгуната в 1868 г. При Токугава Япония находилась в строгой изоляции.

Капризы природы

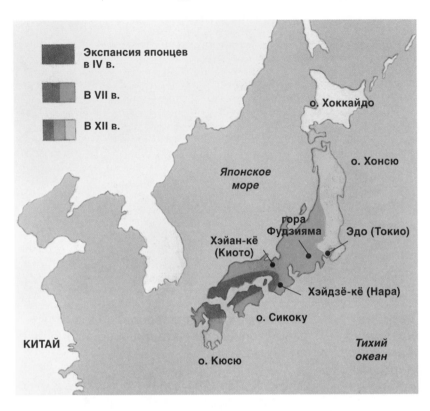

Экспансия японцев
в IV в.

В VII в.

В XII в.

о. Хоккайдо

Японское
море

о. Хонсю

гора
Фудзияма

Эдо (Токио)

Хэйан-кё
(Киото)

Хэйдзё-кё (Нара)

о. Сикоку

КИТАЙ

Тихий
океан

о. Кюсю

Царство стихий

Жизнь японцев зависит от капризной и порой опасной природы Японских островов. Действующих вулканов, готовых в любой момент извергнуть огонь и лаву, в Японии насчитывается свыше 60. Это более 10 процентов от общего числа вулканов на Земле. На островах землетрясения случаются почти ежедневно. Нередко они становятся причиной быстро движущихся оползней и огромных приливных волн, которые называются цунами. Жителей островов то и дело беспокоят тайфуны, внезапные паводки и другие неприятные природные явления.

Маленький Японский архипелаг, восточная оконечность Азии, обращен к Тихому океану. Острова Хонсю, Хоккайдо, Сикоку и Кюсю – это лишь поднявшиеся над водой верхушки подводных горных хребтов.

Фудзияма

Север и юг

Горы занимают более трех четвертей территории Японии. Самая высокая из них – Фудзияма (3776 м). Большинство японцев живет в прибрежных долинах в южной части архипелага. Зимы там мягкие, а лето – жаркое и дождливое. На севере страны гуляет ледяной ветер и зимой нередки бураны.

Времена года

Любовь к природе и стремление жить с ней в одном ритме – отличительная черта японского национального характера. Цвет одежды, орнамент посуды и детали интерьера выбираются в соответствии со временем года.

Дорога богов

Богиня солнца

Главное место в синтоистском пантеоне занимает Аматэрасу – богиня солнца. Она дочь богов, по поверью, создавших Японские острова. Семья императора, как считается, происходит именно от богини солнца.

Японский буддизм

Буддизм принесли на Японские острова корейские монахи. В 538 г. они передали в дар императору статуи Будды и тексты сутр. С конца VI в. буддизм превратился в религию императорского двора и богатых сановников. Императоры украшали столицу Японии великолепными пагодами. В каждой хранилась статуя Будды.

В Древней Японии существовали две религии. Одна из них, синто («путь богов»), возникла из древних народных традиций и обычаев. А в VI в. появился буддизм — «путь Будды».

Мироку Босацу – Будда грядущего

Повседневные обряды

Японцы верят, что мир населен множеством божественных духов – ками. Духи живут в деревьях, реках, озерах, горах. Кроме того, каждый род почитает как божество своего пращура. Японцы совершают религиозные обряды в святилищах синто. В каждом святилище какой-нибудь предмет, например меч или зеркало, символизирует божество. Чтобы предстать перед божеством, нужно быть чистым духом и телом. Набожный японец омывает руки и полощет рот. Затем он ударяет в колокол, чтобы прогнать злых духов. После всех этих ритуалов он возлагает на алтарь дары, кланяется и уходит.

Дети в Японии

Школы

Японцев всегда отличала тяга к знаниям и прилежность в учебе. Государство поощряло распространение грамотности среди широких слоев населения. В возрасте пяти-шести лет дети начинали учиться читать. Школы при буддийских храмах принимали всех детей – и богатых и бедных. Правительствен-ные школы готовили будущих чиновников. Кроме того, существовали школы медицины и астрологии.

*Император
и его сыновья*

**Дети для японцев – залог жизнеспособности рода.
В Японии бытует традиция: если в доме живут вместе
четыре поколения, жители деревни просят их пройти по
мосту через реку: считается, что это принесет счастье
всей общине.**

Рождение ребенка

За несколько дней до появления на свет ребенка члены семьи, окружающие будущую мать, устраивали празднество, которое должно было облегчить роды. На седьмой день после рождения ребенок получал имя. А через месяц родители приносили его в храм, чтобы показать божеству – покровителю рода. Императрица рожала вне стен дворца, чтобы не осквернить его своей кровью. Для того чтобы посетить своего ребенка, император покидал дворец, что в обычной жизни случалось крайне редко. Рождение сына доставляло родителям куда больше радости, чем рождение дочери. Ведь старший сын – наследник традиций рода. Если в семье рождались только дочери, родители усыновляли мальчика, который занимал место старшего сына.

Двор в эпоху Хэйан

Придворные рауты

В эпоху Хэйан японская культура достигла небывалого расцвета. Узкий круг придворных, прозванных «обитателями облаков», не занимали проблемы внешнего мира. Они состязались в сочинении стихов, живописи (излюбленный жанр – миниатюрные пейзажи), составлении букетов из хризантем. Стоя на коленях или сидя по-турецки, придворные музицировали на цитре, играли в го (японские шашки), совершенствовали каллиграфию. Жизнь при дворе была насыщена религиозными церемониями.

Имперская столица Хэйан-кё (Киото) располагалась у подножия гор, между двумя реками. Улицы в городе были проложены строго под прямым углом. Центральный проспект вел к воротам дворца императора.

Жилище императора

Сановники входили на территорию императорского дворца пешком, оставляя экипажи за оградой. Публичные церемонии проводились в том крыле, которое называлось Сисиндэн («Пурпурный дворец»). Когда император занимал свое место, придворные стройными шеренгами проходили перед ним, приветствуя его. Но жил император, как и его жены, в крыле Сейрёдэн, что значит «Дворец свежести и прохлады».

Жилища придворных

Расположенные вне дворца, они состояли из маленьких домиков, соединенных между собой крытыми галереями. Предметов обстановки в них было мало: только циновки, подушки, низкие столики, сундучки из лакированного дерева, масляные лампы.

Японка в придворном наряде

Япония и Китай

Упрямый монах

Буддийский монах китаец Гандзин считался у себя на родине знатоком обетов и правил, которые должен соблюдать слуга Будды. Японский император пригласил его в Японию. Поначалу 55-летний Гандзин, не отличавшийся хорошим здоровьем, предложил поехать кому-либо из своих учеников. Но добровольца совершить опасное путешествие не нашлось. Тогда Гандзин отправился в Японию сам. Четыре попытки Гандзина пересечь море оканчивались неудачей. Только в 754 г. Гандзин прибыл в Нару, где основал буддийскую секту.

Японию связывают очень давние отношения с соседями. Японцы многому научились у китайцев, но при этом не утратили своей национальной самобытности.

Связи с Кореей

В III в. до н. э. – III в. н. э. в Японию начали прибывать переселенцы из Кореи. Они принесли с собой свою веру (синто), свои предания, познания в области техники, общественное устройство. Все это они, в свою очередь, переняли у китайцев.

Что везли в Японию из Китая?

Японцы несколько раз посылали в Китай официальные посольства. Сотни людей садились на корабли, плыли на материк и возвращались с благовониями, шелковыми тканями, книгами. Они привозили также новые знания – идеи Конфуция и секреты китайских врачей.

Буддийский монах Гандзин (688–763)

В таких бумажных свитках японцы привозили из Китая священные тексты.

Сёгуны и самураи

Камикадзе

В 1274 и 1281 гг. на завоевание Японских островов отправились монголы. Однако тайфуны потопили их корабли. Грозные бури, как считают японцы, вызвали боги ветров – камикадзе. Так с небесной помощью самураи и их солдаты прогнали захватчиков.

Военное снаряжение пользовалось у самураев большим уважением и передавалось от отца к сыну по наследству. В бою самураи надевали шлем и доспехи из жестких полос кожи. Мечи изготовлялись из стали очень высокого качества.

В конце XII в. власть императора ослабела. Закончилась эпоха мира и спокойствия Хэйан. Крупные феодальные кланы вели между собой войну за верховенство в стране. Начался растянувшийся на семь веков период правления сёгунов – высших военачальников – и самураев – рыцарей, состоящих у них на службе.

Власть сёгунов

В 1192 г. победителем в междоусобной войне стал Ёритомо, глава клана Минамото. Он взял себе титул сёгун («великий полководец»). Свою резиденцию он разместил в городе Камакура и правил страной от имени императора, который жил в своем дворце в Киото. Сёгун окружил себя беззаветно преданными и храбрыми военачальниками, которые жили по суровому кодексу военной чести – бусидо.

Кто такие самураи?

Самым храбрым рыцарям сёгун давал титул самурая. Самураи искусно владели оружием. Чтобы избавиться от страха смерти, некоторые из них практиковали буддийскую медитацию – дзен. Если самурай был побежден, но оставался живым, кодекс чести предписывал ему покончить жизнь самоубийством. Коротким мечом он вспарывал себе живот.

Древняя Индия

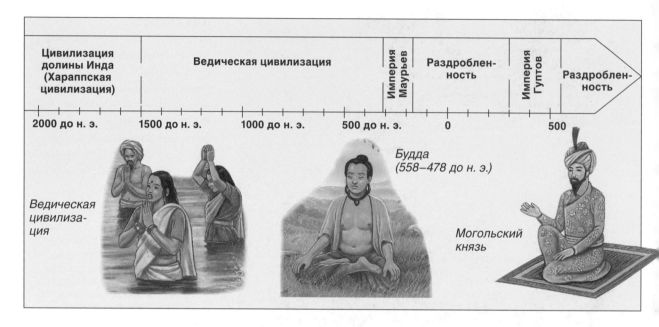

| Цивилизация долины Инда (Хараппская цивилизация) | Ведическая цивилизация | Империя Маурьев | Раздроблен-ность | Империя Гуптов | Раздроблен-ность |

2000 до н. э. **1500 до н. э.** **1000 до н. э.** **500 до н. э.** **0** **500**

Ведическая цивилиза-ция

Будда (558–478 до н. э.)

Могольский князь

Уже в III тысячелетии до н. э. жители долины Инда строили города. Их блестящая культура исчезла около 1500 г. до н. э., когда из Центральной Азии пришли индоевропейские племена кочевников ариев. Традиции ариев, смешавшись с традициями коренного населения, положили начало ведической цивилизации. Здесь лежат истоки индийской культуры, опирающейся на санскрит, религию индуизма и кастовую структуру (с. 88).

Империя Маурьев (320–185 до н. э.)

В IV в. до н. э. вспыхнуло восстание против правителей, назначенных Александром Македонским. Восстанием руководил Чандрагупта Маурья. Он основал сильную империю Маурьев. Самый известный представитель династии – царь Ашока (268–232 до н. э.). После одной жестокой кровопролитной войны царь, потрясенный увиденными страданиями, стал следовать буддийским принципам мудрости, справедливости и отказа от насилия. По всей Индии он повелел высечь на скалах или колоннах тексты законов, которые предписывали строгое соблюдение этих принципов. Он поощрял строительство буддийских монастырей и священных сферических сооружений – ступ, а также дорог, больниц и приютов для бедноты.

Раздробленная и хрупкая империя

В течение столетий, последовавших за правлением Маурьев, Индия разделилась на маленькие княжества, враждовавшие друг с другом. Время от времени она оказывалась под властью завоевателей: скифов, пришедших из Центральной Азии, а затем кушан, происходивших из Северного Китая. В 1526 г. Великие Моголы, мусульманская династия тюркского происхождения, создали империю, которая просуществовала в Индии около двух столетий. В этот период в стране господствовал ислам и многие индуистские храмы были разрушены, а возведены роскошные мусульманские дворцы и мавзолеи, например Тадж-Махал.

Между океаном и горами

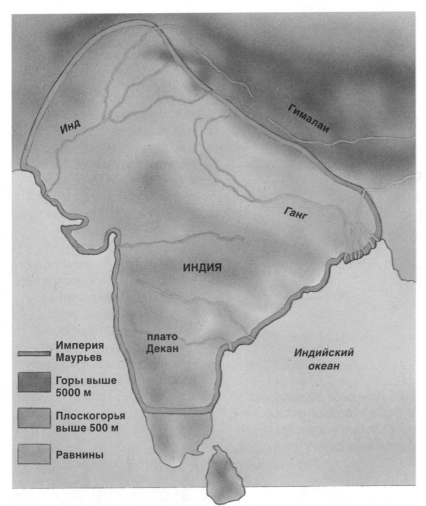

Территория Индии похожа на треугольник, который выдается далеко в Индийский океан. На севере естественный барьер образуют горы Гималаи. Обширное плато Декан на юге открыто муссонам.

На карте:
- Империя Маурьев
- Горы выше 5000 м
- Плоскогорья выше 500 м
- Равнины

Инд · Гималаи · Ганг · ИНДИЯ · плато Декан · Индийский океан

Крыша мира

«Гималаи» на санскрите (древнем языке индийской цивилизации) означает «обитель снегов». Эти горы – самые высокие в мире; высшая их точка – 8848 м. Индийцы верят, что Вайшравана, бог богатства в индуизме, спрятал в Гималаях сокровища. В Гималаях берут исток великие реки Индии – Инд и Ганг, почитаемые всеми жителями огромного полуострова.

Великий Ганг

Ганг – священная река, которой с незапамятных времен поклоняются индусы. В ее воды высыпают прах умерших. В ней совершаются ритуальные омовения, чтобы смыть земные грехи. Земля долины Ганга – самая плодородная в Индии. Здесь без искусственного орошения можно выращивать рис, пшеницу, просо и сахарный тростник.

Что такое муссоны?

Летние муссоны – это ветры, дующие с Индийского океана. Перемещаясь с юга на север, они насыщаются влагой. Начиная с июня крестьяне с нетерпением ждали их, потому что муссоны приносили с собой обильные дожди. А пересохшая земля способна выпить много. Правда, каждый год муссоны вызывают катастрофические наводнения, в которых погибают люди и скот.

Джунгли

Значительную часть территории Древней Индии покрывали тропические леса (на языке хинди они назывались «джангла»). Жители полуострова охотились на диких животных: тигров, львов, носорогов, обезьян, змей, а также на буйволов, слонов, которых позже удалось приручить.

85

Индуизм

Великий эпос
«Махабхарата» – поэма, состоящая из 200 тыс. стихов. Она излагает историю племен, живших на севере Индии. Кроме того, она содержит правила морали и обязанности каждой касты.

Священное животное
Корову считают животным, в котором воплощаются все божества. Кормление ее – занятие священное, есть ее мясо – кощунство. Чтобы очиститься, индусы пьют коровье молоко, в которое добавлены коровий навоз и моча.

Индуисты почитают тысячи богов. Каждый верующий по-своему стремится облегчить себе тяжесть страданий, которые неотделимы от земного бытия. Индуисты приносят богам дары в храм, совершают омовения в водах Ганга, занимаются медитацией.

Во что верят индуисты?
Индуизм учит, что душа бессмертна. После смерти человека она переселяется в другое тело и рождается вместе с ним заново: это и есть переселение душ, или реинкарнация. Если жизнь проходит под знаком добра и чистоты, душа переселится в существо более высокого ранга. Каждый, таким образом, может надеяться, что, прожив много жизней, он достигнет совершенства, избавится от страданий и обретет вечный мир.

Что такое Веды?
Веды – собрание древнейших священных текстов, которые лежат в основе индуизма и изучаются брахманами (жрецами). Тексты эти рассказывают о богах ведической эпохи.

Кто такой Будда?

В VI в. до н. э. в маленькой деревне среди джунглей сидел под смоковницей человек. Он сидел в тишине, его руки покоились на коленях. Человек медитировал. Он казался невозмутимым до того самого дня, когда...

Озарение Будды

Настоящее имя Будды – Гаутама. Он родился в царской семье. К 29 годам у него было все, что нужно для счастья, – жена, ребенок, богатство. Но однажды, выехав за пределы дворца, он увидел больного, затем старика и, наконец, похоронную процессию. Угнетенный мыслью, что та же участь ожидает на земном пути и его, он задался вопросом: что такое жизнь, в чем смысл страдания? Покинув дом и семью, он отправился странствовать. Долгие годы Гаутама не мог найти ответа на свои вопросы. Однажды, после нескольких недель медитации, на него снизошло озарение: он постиг, в чем смысл страданий человека. Так он стал Буддой («просветленным»).

Что же есть истина?

Будда понял: люди страдают потому, что ищут счастье, которое недостижимо. Даже смерть не может принести избавления, ибо душа будет жить в другом теле, так как каждое живое существо подвержено бесконечному ряду перерождений. Будда хотел остаться там, где на него снизошло просветление, но один из индуистских богов убедил его рассказать об открывшейся ему истине людям. Будда учил: нужно вести жизнь, наполненную добротой и любовью к ближнему, тогда ты достигнешь просветления и высшего блаженства – нирваны.

Ступа – это священное древнеиндийское сооружение, воздвигнутое в честь Будды.

Касты

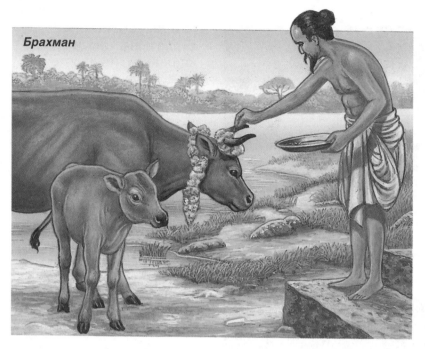

Брахман

Торговец пряностями

Светлокожим ариям, поселившимся на севере Индии, смуглые дравиды казались существами низшего порядка. Общество, сложившееся на этой основе, со временем разделилось на группы (касты), положение которых сильно различалось.

Различия между кастами

Из самых ранних индуистских текстов известно, что народы в период первоначального заселения Индии (приблизительно с 1500 по 1200 до н. э.) уже делились на четыре главных сословия: брахманы (священнослужители), кшатрии (воины), вайшьи (торговцы, скотоводы и земледельцы) и шудры (слуги и разнорабочие).

Что запрещается делать людям той или иной касты?

Каждый человек всю жизнь принадлежит к той касте, в которой он родился, и должен точно выполнять ее религиозные правила. Тот, кто относится к низшей касте, не может, например, предлагать еду представителю высшей касты или делить ее с ним. Заключить брак с членом более низкой касты, чем твоя, — значит осквернить себя.

Кто такие неприкасаемые?

Те, чьим уделом оставались неквалифицированные, презиравшиеся обществом профессии (уборщиков, работников на кладбищах, палачей и т. д.), считались нечистыми и должны были жить отдельно от других каст. Для них долгие годы были закрыты храмы и даже существовал запрет приближаться к людям из более высоких каст.

Неприкасаемый

Дети в Древней Индии

В первые годы жизни маленькие индийцы жили безмятежно, окруженные любовью и лаской. Но очень скоро мальчик или девочка, не важно из богатой семьи или из бедной, занимали то место, которое отводилось им обществом в зависимости от кастовой принадлежности.

Рождение ребенка

Еще до зачатия ребенка супруги соблюдали правила, которые должны были способствовать рождению сына. И в дальнейшем каждое событие в жизни младенца: когда ему обрезали пуповину, когда он получал (на десятый день после рождения) имя, когда его первый раз выносили на солнце, когда отнимали от груди и т. д. – сопровождалось определенными церемониями.

В возрасте между годом и тремя мальчику брили голову. Этот важный обряд должен был обеспечить ему счастливую жизнь.

Во время обряда «упанаяна» на плечи мальчика надевали шнур из освященного хлопка. Это означало второе рождение.

Воспитание

В бедных семьях дети с ранних лет начинали работать. Мальчики и девочки из высоких каст учились читать и писать с 4–5-летнего возраста. Девочки занимались дома, а мальчики ходили на уроки к брахману.

Посвящение

В возрасте 8–13 лет мальчики из трех высших каст проходили обряд посвящения – «упанаяна». После обряда они могли читать священные тексты, учиться музыке, обращению с оружием и выполнению религиозных церемоний.

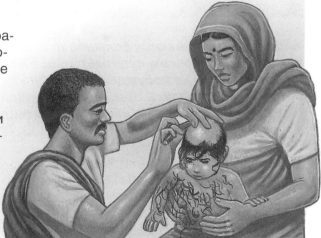

Индия и внешний мир

Индийцы не отличаются большой любовью ни к сухопутным, ни к морским путешествиям. Ни их верования, ни образ жизни не побуждают их покинуть землю, на которой они родились. Тем не менее индийская культура благодаря иностранцам, охотно посещавшим страну, известна во всем мире.

Древняя Индия и Древний Рим

Древние римляне знали об Индии благодаря редкостным и дорогим товарам: пряностям, благовониям, самоцветам, изысканным тканям. Кроме того, из Индии поставляли диких зверей для цирковых представлений и гладиаторских боев.

Из уст в уста

О торговых связях между Индией и Римом свидетельствуют слова, перешедшие из санскрита в латынь: так, слово «pippali» («перец») в латинском языке стало звучать как «piper».

Арабские купцы

Иногда индийские торговые корабли отправлялись к Красному морю, но чаще в Индию приезжали арабские купцы. Они познакомили европейцев с достижениями индийской медицины, особенно хирургии, и астрономии, а также с цифрами, которые возникли в Индии более 2000 лет назад. Поскольку в Европе они стали известны благодаря арабским путешественникам, то получили название «арабские».

Индия и Китай

В V в. в Индию прибыли буддийские монахи из Китая, чтобы пополнить знания о жизни Будды и его учении. Они посетили святые места, останавливаясь в буддийских монастырях. В Китай они вернулись со священными текстами, статуями и реликвиями. С VII в. Индия подвергалась нашествиям воинственных соседей. Особенно сильное влияние оказал приход в страну мусульман.

Индуистские храмы

Храмы

В сердце святилища находился небольшой алтарь: здесь укрывалось от неправедных глаз изображение бога. Как правило, бога ваяли в облике человека из камня, дерева или глины. От столетия к столетию храмы становились выше и монументальнее, напоминая священные вершины Гималаев.

Скульптурные изображения, как правило, иллюстрировали легенды, связанные с жизнью и деяниями богов. Они помогали индусам совершать медитацию.

С VIII в. рядом с древними индуистскими святилищами, построенными из дерева, возводились величественные храмы из кирпича или камня, украшенные многочисленными скульптурами. Многие сооружения были посвящены богам Шиве и Вишну.

Большие праздники

Несколько раз в году в Индии проводились торжества, посвященные какому-либо событию в жизни того или иного бога или годовщине освящения храма, а также ремеслам или смене времен года. В празднествах соединялось поклонение богу и общее веселье. По случаю торжества жрецы приносили к реке бронзовое изображение божества. Для верующих из низших каст это была единственная возможность приблизиться к богу: ведь им, нечистым, запрещали входить в храм. Совершая традиционный обряд, они входили в реку в то самое время, когда в воду погружали божество.

Цивилизация майя

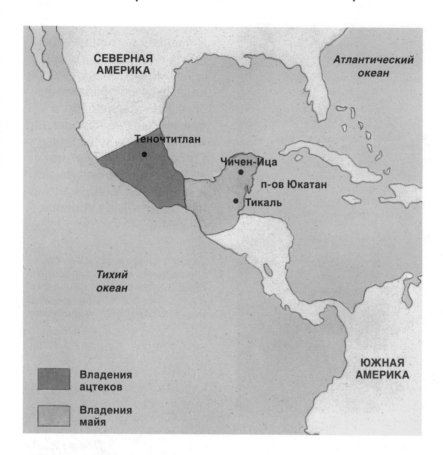

Доклассический период (650 до н. э. – 250 н. э.)
В это время появляются мелкие земледельческие поселения, разбросанные в джунглях. Благодаря плодородной почве и умеренному климату сельскохозяйственные культуры давали хорошие урожаи на полях-террасах по склонам гор. С III в. до н. э. майя строили города и возводили храмы – пирамиды.

Классический период (250–800 н. э.)
Это был период наивысшего расцвета искусства и архитектуры майя. Города майя никогда еще не были столь красивыми и богатыми, а храмы столь величественными.

Упадок (IX–XVI вв.)
В IX в. население покинуло города. Причины случившегося до сих пор не ясны. В X в. страну майя покорили тольтеки и многое заимствовали из их культуры. Пирамиды и храмы постепенно разрушились.

Цивилизация народа майя развивалась в Центральной Америке. Они создавали независимые города-государства. Свои необыкновенно высокие познания в астрономии и математике они унаследовали от ольмеков, еще более древней цивилизации.

Среди лесов и гор

Территории, на которых развивалась блистательная цивилизация майя, находились в тропической зоне и отличались разнообразием ландшафтов. Юг занимали вулканы. На щедрых вулканических почвах произрастали густые тропические леса. Цивилизация майя возникла в центре полуострова Юкатан, а затем распространилась на север.

Тикаль – город в лесу

К VIII в. среди тропических лесов, покрывающих плато Петен, достиг своего расцвета величественный и нарядный город майя Тикаль.

Город-государство

В центре города находилась большая площадь, ограниченная с двух сторон пирамидами, а с севера – акрополем. Главная пирамида Тикаля достигала высоты 70 м. Это самая высокая из пирамид, созданных майя. На ее вершине находилось небольшое святилище, где жрецы очищались перед ритуальными церемониями. Вокруг пирамиды были возведены храмы поменьше, дворцы, площадка для ритуальных игр в мяч.

Религиозный центр

Тикаль был важным религиозным центром. Большинство индейцев майя селились в невзрачных простых домах вдалеке от центральной площади. Зато храмы и могилы они старались украсить как можно богаче. Главные храмы возводились на большом возвышении, что придавало им более величественный вид и позволяло скрывать религиозные церемонии от взоров простых смертных. Для церемоний жрецы облачались в одежды ярких цветов, украшенные перьями редких птиц, таких, например, как кетцаль, а верховный правитель надевал все драгоценности.

Почему исчезли города?

В IX в. культовые сооружения и царские дворцы были брошены на произвол судьбы. В течение нескольких десятилетий монументальные постройки скрылись в буйной растительности. До сих пор исчезновение цивилизации майя является предметом спора исследователей. Выдвигаются различные гипотезы, от гражданской войны и завоеваний до и экологической катастрофы и эпидемий. Есть версия, что одну из самых интересных культур истории человечества уничтожили засухи.

Религиозные обряды

Майя (как и ацтеки) были уверены, что боги уже несколько раз разрушали мир. Чтобы это не произошло снова, они старались угадать желания богов и задобрить их с помощью даров и жертвоприношений.

Боги

В пантеоне майя были представлены боги земли, дождя, ветра, молнии и прочих природных сил и явлений. Согласно легендам майя, первыми обитателями Земли были Солнце и Луна, которые часто ссорились друг с другом. Если Луна светила слабее, чем Солнце, майя объясняли это тем, что Солнце вырвало у нее один глаз в наказание за вздорный характер.

Кто такие чаки?

С четырьмя сторонами света ассоциировались чаки, четыре бога дождя. Они посылали на Землю дождь, тряся большие калебасы (сосуды из тыквы), наполненные водой. Если они перевернут калебасу, на Земле может начаться потоп. Гневаясь, они насылали на поля град и вызывали грозу.

Игра в мяч

Ритуальные игры в мяч появились у предшественников майя – ольмеков, они проходили на священных площадках, огороженных стенами, на которых укреплялись каменные кольца. Игроки должны были, отбивая резиновый мяч локтями, коленями или бедрами и не дотрагиваясь до него ни ногой, ни рукой, попасть в одно из каменных колец. С ударами и травмами никто не считался. Капитана проигравшей команды приносили в жертву богам! И он отдавал свою жизнь с гордостью: ведь эта жертва совершалась в угоду богам, а значит, на благо людям.

Жизнь крестьян

Женский труд
Каждый день женщины мололи маис, перетирая зерна между камнями. Полученную муку заливали водой и готовили лепешку – тортилью. Владели женщины и ткацкими навыками – они часами ткали пончо, туники и покрывала.

Дети
Сначала они играли возле женщин. Потом мальчики уходили с отцами в поле. Что касается девочек, то их учили прясть, готовить еду и помогать по дому матерям. В школу могли ходить лишь дети из знатных семей.

Главным занятием майя было земледелие. Землю они почитали как божество и знали, что их жизнь зависит от ее щедрости.

Маис, священный злак
Когда крестьянам была нужна земля для возделывания, они сначала вырубали лес и выжигали пни, а золой удобряли почву. На крутых склонах сооружали террасы. Основной культурой был маис (кукуруза). Накануне уборки урожая крестьяне постились, разбрасывали по углам поля немного зерен и воскуряли благовония. Так они просили милости у богов: ведь маис считался божеством, и ему приносили многочисленные подношения.

Другие сельскохозяйственные культуры
Возле своих хижин крестьяне выращивали также фасоль, тыквы, маниоку, батат (сладкий картофель), хлопок, табак и какао (бобы какао служили монетами).

Письменность и счет

Майя владели цифрами и письменностью. Это позволяло им делать сложные вычисления и записывать их.

Письмо

Майя пользовались для письма сложными рисунками, помещенными в прямоугольную рамку. В иероглифической письменности майя есть разделение знаков на корневые, фонетические и грамматические, то есть одни рисунки обозначали различные предметы, животных, богов, другие – знаки, а третьи служили для передачи наречий, предлогов и других вспомогательных частей речи. Писцы комбинировали эти знаки, чтобы составить короткую фразу. Письменность майя служила прежде всего для того, чтобы фиксировать движение звезд, отмечать даты важных событий, имена богов и проявления их могущества, записывать повеления жрецов и т. п. В 1960-х гг. удалось расшифровать древние тексты.

Каменная стела, покрытая кружевом иероглифов

Где сохранились надписи?

Майя высекали надписи на стенах зданий, каменных стелах, алтарях, лестницах и деревянных потолках. Их можно обнаружить на украшениях, раковинах, костях или даже – в виде орнамента – на глиняной посуде, полудрагоценных и поделочных камнях. Многие надписи на стелах связаны с историческими событиями. Часть их имеет отношение к различным культам и астрономическим вычислениям.

Чемпионы счета

Майя искусно пользовались цифрами – может быть, лучше, чем представители других цивилизаций древности. Они знали даже числа выше миллиарда. При этом им достаточно было трех знаков: точка обозначала единицу, черточка – пять, а знак в форме раковины – ноль.

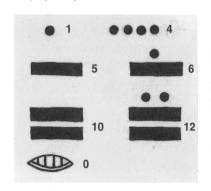

Звезды и храмы

Майя были и великими астрономами. Изучив движение Земли вокруг Солнца, они точно вычислили годовой цикл и составили солнечный календарь.

Глаза, устремленные к звездам

Древние майя умели рассчитывать наступление солнечных затмений, знали периоды обращения Луны, Венеры, Марса, Сатурна, Меркурия и Юпитера. На протяжении столетий они отмечали движение небесных тел. Астрономические наблюдения производились с вершин пирамид невооруженным глазом. А вот в городе Чичен-Ица майя построили настоящую обсерваторию. В круглой башне небольшие прямоугольные окна были направлены на важные астрономические пункты – точку захода Солнца в день весеннего равноденствия, точку захода Луны в эту ночь. Подобные сооружения были найдены и в других местах.

Майя придавали очень большое значение движению звезд. У них уже были свои обсерватории, подобные обсерватории в городе Чичен-Ица.

Календарь

На основе своих наблюдений майя составили необыкновенно точный солнечный календарь, в котором было 365 дней, и он делился на 18 месяцев по 20 дней и 5 «несчастливых» дней. Важным периодом времени был «катун» (двадцать лет). Начало каждого «катуна» отмечалось большими празднествами в честь бога, который был в этот период главным. Ни у одного из народов древней Америки нет столь совершенного календаря и системы летосчисления, как у майя. Кроме солнечного майя составили священный 260-дневный календарь, который применялся для предсказаний. Этот календарь умели читать только жрецы, и люди обращались к ним за советом перед каждым важным событием.

Кто такие ацтеки?

Цивилизация ацтеков возникла и расцвела на территории сегодняшней Мексики (карта на с. 92). Когда ацтеки основали свою столицу Теночтитлан, цивилизация майя уже угасла. Менее чем за два столетия ацтеки создали одну из самых могучих империй в доколумбовой Америке.

Было когда-то бедное племя...

К 1100 г. кочевое племя охотников ацтеков (или мексика, как они сами себя называли) покинуло полупустынные земли на северо-западе сегодняшней Мексики и отправилось на поиски более благодатных земель.

Рождение столицы

В 1325 г. после долгих скитаний ацтеки оказались на озере Тескоко. Заметив орла, терзающего змею, жрецы истолковали это как знамение. Там, на островах посреди озера, ацтеки заложили будущий город Теночтитлан, ставший столицей их империи.

Расцвет и закат империи

Как и многие другие племена в тех краях, ацтеки находились в подчинении у тепанеков. Но в 1426 г. правитель ацтеков Ицкоатль, возглавив военный союз с двумя соседними городами-государствами, разгромил могущественных тепанеков. Воспользовавшись благоприятным моментом, ацтеки существенно расширили свою территорию.

В начале XVI в. империя ацтеков простиралась от Мексиканского залива до Тихого океана. Ацтеки увеличивали свои богатства, собирая дань с покоренных племен. В Теночтитлан несли ткани, зерно и предметы роскоши. Писцы вели строгий учет всех сокровищ. В 1519 г. испанские завоеватели под предводительством Эрнана Кортеса вошли в Теночтитлан (ныне Мехико). На сторону испанцев встали порабощенные ацтеками племена. За два года испанцы завоевали эту сильную империю.

			Расцвет		Господство тепанеков	Империя ацтеков	Испанское господство
1000	1100	1200		1300	1400	1500	

Прихоти богов

Согласно верованиям ацтеков, мир четырежды подвергался разрушению. Для того чтобы отодвинуть конец пятого, существующего, мира, который будет уничтожен землетрясением, люди старались удовлетворить желания богов. Страх этот был равнозначен страху перед тем, что солнце однажды не появится из-за горизонта.

Главные боги

Кецалькоатль, или «Змей, покрытый зелеными перьями», бог жрецов, – древнее, чем тольтекское божество. Это от него люди получили маис, письменность, календарь. Уицилопочтли, или «Колибри левой стороны», вел племя ацтеков во время их странствий. Поскольку он еще и бог солнца и бог войны, его почитали больше других богов. Тлалок, бог земли, – любимый бог крестьян. Это он посылает людям то благотворный дождик, то разрушительную грозу.

Жертвоприношения были необходимы, чтобы заслужить благосклонность богов.

Напиток богов

По убеждениям ацтеков, для того чтобы мир уцелел, необходимо было ежедневно задабривать и кормить богов. Боги питались чудесным нектаром, который, как полагали ацтеки, содержится в человеческой крови. А могущественного бога солнца и войны Уицилопочтли следовало кормить человеческим сердцем. В большие праздники жертвы богам приносились в течение нескольких дней. Почетная обязанность добывать пищу для богов возлагалась на воинов. В 1487 г. кровь текла потоками: десятки тысяч пленников были принесены в жертву на вершине великой пирамиды.

Дар Уицилопочтли

Обряд жертвоприношения богу солнца был ужасен. Под крики толпы, под песни и пляски жертва поднималась по ступеням. На вершине, у дверей храма, жрец ударом ножа рассекал ей грудь, вынимал еще трепещущее сердце и показывал его Солнцу. Затем жертве отрезали голову. Кровь стекала по ступеням. Насытившись, Солнце могло продолжать свой путь в небесах.

Эти странные воины

Ацтеки были грозными воинами. Они вели войну ради того, чтобы расширить свои владения и захватить побольше пленных, которые будут принесены в жертву богу солнца и войны.

Как шла война?

Ацтеки верили, что, нападая на соседние народы и захватывая пленников для жертвоприношений, они отодвигают конец мира и продлевают жизнь империи во славу Уицилопочтли. Поначалу ацтеки старались убедить противника сдаться без боя. Обе стороны демонстрировали добрую волю: вели переговоры, обменивались подарками. Если согласие было невозможным, начиналось сражение. Каждый лагерь возлагал надежды на своего бога-покровителя. Победившим считался тот, кому удалось разрушить главный храм неприятельского города.

Воины Орла и Ягуара

В заботе о мощи государства всех мальчиков воспитывали воинами. В 10 лет их стригли, оставляя косичку на затылке. С 14 лет юные ацтеки участвовали в сражениях. Когда начинающий боец захватывал первого пленника, ему срезали косицу. Самые бесстрашные бойцы становились воинами Ягуара или воинами Орла. Они могли сражаться в шкуре ягуара или в головном уборе в виде головы орла.

Побежденные

Покоренные города в большинстве случаев сохраняли свои законы, своих богов и даже своего царя. Но они должны были платить ацтекам дань и доставляли в города продукты питания, одежду, перья тропических птиц, а также оказывали различные услуги, в том числе конвоировали пленников, назначенных к принесению в жертву.

Император и его народ

Место каждого человека в ацтекском обществе, от императора до крестьянина, определялось его рождением и лишь в редких случаях заслугами.

Император

Знать избирала кого-то из своих рядов на роль императора. Этот человек должен был быть прекрасным воином, но, кроме того, мудрым и знающим: хорошо, если он учился в школе при храме («кальмекак»). С этого момента никто не мог не только прикоснуться к нему, но даже смотреть ему в лицо. Его одеяние, сшитое из перьев редких птиц, делало его похожим на бога. Перья, которые он носил и снял, так же как и посуду, из которой он ел, тут же уничтожали. Даже самые знатные представители двора должны были простираться перед ним ниц, а его носилки несли исключительно аристократы.

Как стать знатным?

Как правило, вельможи и сановники были выходцами из знатных семей. Но некоторые получали свой титул благодаря тому, что в сражениях захватили много пленников. Крестьянин мог надеяться стать воином Орла, что освобождало его от податей и барщины. Благородный ацтек тратил время на игру в шашки, охоту, стрельбу из лука.

Осведомители императора

Купцы, «почтека», занимались торговлей, разъезжая по всей империи. Их поездки были небезопасны, но зато они возвращались в столицу с нефритом, драгоценными металлами и редкими птицами. «Почтека» сообщали императору о том, как живут люди в его империи и чем они владеют. За это их освобождали от барщины и военной службы.

Дети

Жизнь ацтекских детей мало чем отличалась от жизни взрослых. Уже в раннем возрасте они знали, что такое тяжкий труд, усталость и страдание.

В школе
Все дети в Теночтитлане имели право учиться в школе. Дети простых, небогатых людей посещали маленькую школу, которая находилась неподалеку в их квартале. Особое место в школьной программе занимали физические упражнения – юных ацтеков с детства готовили к воинской службе. Дети знатных родителей учились в «кальмекаке», школе с повышенным уровнем обучения. Такие школы устраивались при храмах. В этих учебных заведениях готовили будущих жрецов и высоких чиновников.

Предрешенное будущее
Мать к своему новорожденному ребенку относилась с большой нежностью и называла его «мое маленькое перышко птицы кетцаль». Но повитуха, увидев, что родился мальчик, говорила: «Ты станешь воином, ты явился на свет, чтобы напоить Солнце кровью врагов, а землю накормить их телами». Если же рождалась девочка, повитуха произносила: «Жить ей в доме, как сердцу в груди».

Повседневный труд
Приблизительно до 15 лет дети получали домашнее образование. Мальчики осваивали военное дело и учились управлять хозяйством, а девочки – готовить, прясть и вести домашнее хозяйство. Кроме того, и те и другие получали навыки в гончарном ремесле и искусстве выделки птичьих перьев. Наказывая ребенка, взрослые бросали в огонь стручок перца и держали ребенка над дымом, чтобы ему щипало глаза.

Великий Теночтитлан

Испанцы, прибыв на землю ацтеков, обнаружили огромный город Теночтитлан, расположенный на острове посреди озера.

Вдоль улиц и кварталов

Город был разделен на кварталы, в каждом из которых имелись школы, храм, отмечались свои праздники. Ремесленники жили вместе, группируясь по профессиям. Тут, например, был переулок охотников, где продавали мухоловок и других птиц. Там – улица гончаров. Чуть дальше – улица садовников, ее можно было узнать по аромату цветов, фруктов, меда, лука... Некоторые улицы тонули в зелени: по сторонам их были разбиты сады, там, в аккуратных красивых домах жили семьи знати. На других улицах теснились глинобитные крестьянские домики, крытые соломой.

В 1519 г. Кортес и его солдаты, впервые увидев этот город, застыли в изумлении. Воздвигнутый в середине широкого озера, он в плане представлял собой прямоугольник со стороной 3 км. В центре высился огромный храм. В 1521 г. испанцы разрушили этот символ могущества ацтеков и на этом месте построили город Мехико.

Великий храм

В самом сердце города был культовый центр с Великим храмом высотой около 60 м. Каменная лестница вела на вершину храма, где стояли еще два святилища – в честь бога дождя Тлалока и бога солнца и войны Уицилопочтли. На территории комплекса располагались площадка для ритуальной игры в мяч и школа.

Город на озере

Попасть в Теночтитлан можно было по одной из трех дамб, которые служили дорогами. Суденышки, груженные продовольствием и другими товарами, плыли по озеру и теснились у ворот города. Каналы, по берегам обсаженные ивами и тополями, густой сетью покрывали город. Подъемные мосты связывали между собой тротуары.

Вторжение европейцев

Император ацтеков преподнес в дар испанскому конкистадору Кортесу роскошный головной убор из перьев.

8 ноября 1519 г. у ворот Теночтитлана император ацтеков Моктесума (Монтесума) принял Эрнана Кортеса, предводителя испанских конкистадоров, которые высадились на берегу Центральной Америки. Император подарил Кортесу ожерелье из жемчуга и драгоценных камней. Встреча двух цивилизаций произошла... Для одной из них это событие стало трагическим.

Испанцы глазами ацтеков

Ацтеки с изумлением и страхом смотрели на странных существ, которые передвигались то на «горах» (кораблях), то на огромных оленях (лошадях). Одежда их оставляла открытым только лицо, совсем белое, а иногда еще и обезображенное желтой шевелюрой. Ацтеки были уверены, что к ним явились боги: ведь жрецы все время предупреждали, что это может произойти.

Ацтеки глазами испанцев

Испанцев ужаснули религиозные церемонии ацтеков. Они считали, что люди, приносившие в жертву других людей, одержимы дьяволом. Но эти полуголые существа владели огромным богатством — золотом, хотя сами, похоже, гораздо больше ценили перья и нефрит.

Падение империи

Встреча двух цивилизаций довольно скоро перешла в конфликт. Поняв, что испанцы — совсем не боги, ацтеки организовали против них восстание. Испанцев было мало, но их поддерживали тысячи индейцев, например тепанеки, которые с давних пор относились к жестоким ацтекам враждебно. Три месяца прошли в ожесточенных стычках, и затем, 13 августа 1521 г., Теночтитлан перешел в руки испанцев. Древняя ацтекская империя стала частью Испанского королевства.

История инков

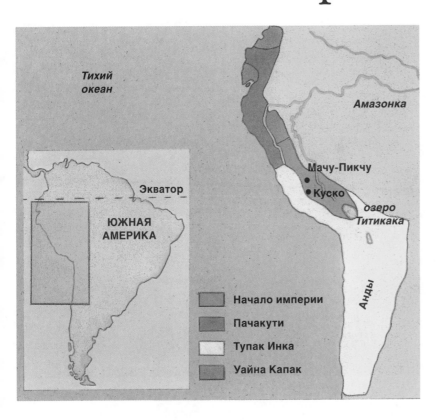

Огромная империя инков зародилась в сердце горной системы Анд (Андийские Кордильеры). Ее обитатели называли ее Тауантинсуйу («Земля четырех четвертей»).

Племя инка

Около 1200 г. маленькое полукочевое племя инка, живущее в долине Куско, подчинило себе соседние племена. Спустя два столетия, в период правления императора Уайна Капак (1493–1525), территория государства простиралась с севера на юг на 4500 км. Примерно сотня племен подчинялась империи инков. Часть земли, завоеванной инками, оставалась в собственности крестьян. Но они обязаны были обрабатывать и вторую часть земли, урожай с которой получал император, а также третью, с которой все, что растет, предназначалось в дар богу солнца – Инти.

Как инки управляли огромной территорией?

Инки не знали письменности и железа, зато никто не мог их превзойти в искусстве управления такой огромной территорией и теми, кто жил под их властью. Инки верили, что их правители вели свой род от бога солнца Инти, и обожествляли их еще при жизни. Император появлялся перед подданными то благостным, то беспощадным. Иногда он переселял на тысячи километров народы, которые держались по отношению к властителю слишком враждебно. Отрезанные от родины, люди подчинялись воле инков. Чтобы голос его был слышен повсюду, император повелел проложить тысячи километров мощеных дорог. По ним курсировали гонцы. Они могли преодолеть, сменяя друг друга, до 700 км за четыре дня.

Периоды правления в империи инков

Верховный Инка

Тринадцать императоров сменили друг друга на троне. Власть переходила от отца к сыну. Согласно легенде, императорскую династию инков основал в XIII в. Манко Капак. Но первым императором, известным не только по легендам, был Пачакути (правил в 1438–1471 гг.). Он и его наследники создали империю, которая казалась нерушимой.

Династия Сапа Инка

Император, который носил титул Сапа Инка, «Верховный Инка», для подданных являлся полубогом. Его отцом был сам Инти, бог солнца. Чтобы сохранить чистоту крови, он мог вступить в брак только со своей сестрой, которая становилась императрицей, койей. Но император окружал себя еще и множеством молодых и красивых девушек из знатных семей. Так, у императора Атау-

альпы было более 5000 наложниц. Император появлялся перед подданными всегда в яркой цветной одежде. Его лоб украшала повязка из красных шерстяных нитей, между которыми были вплетены золотые нити. В ушах сверкали золотые кольца. Никто не мог прикасаться к нему и смотреть ему прямо в лицо. После смерти тело императора подвергалось бальзамированию.

Какой властью он обладает?

Сапа Инка – единоличный властитель империи. Бесчисленные чиновники, солдаты, жрецы исполняли его решения. Он командовал армией, определял размер податей, давал распоряжения о начале больших общественных работ и т. д. Сапа Инка насаждал по всей империи культ Солнца и освящал своим присутствием торжественные церемонии.

Верования инков

Уака – духи, населяющие горы и озера. Им поклонялись, принося дары. Нередко в жертву богам приносили лам.

Мумии на празднествах

В ноябре каждого года мумии инков приносили к дворцу императора или на главную площадь Куско. Там их усаживали на золотое сиденье и давали им питье и еду, как живым существам. Праздник проходил под звуки флейт и тамбуринов.

Окруженные громадами Анд, здешние жители верили в божественную силу солнца, гор, рек... Вознося к ним молитвы и принося дары, они ждали от них благодеяний. Верили они и в бессмертие души.

Главные боги

Верховное божество инков – их общий прародитель Инти, бог солнца. Они поклонялись также Луне, которую считали сестрой бога солнца. Они страшились гнева бога грома, который мог ниспослать на них опустошительный град или подарить благодатный дождь. Они обращались за помощью и к Виракоче, богу, который сотворил людей. Крестьяне особенно почитали Пачамаму, богиню земли, «мать-землю», которая снабжала их всем необходимым для жизни.

Поклонение мертвым

Индейцы Анд исповедовали культ предков. Они верили, что в потустороннем мире мертвые возрождаются. Если простолюдинов хоронили в земле, то императора и его приближенных бальзамировали. Их души, попав на небо, присоединялись к богам, а их мумии, оставшиеся в земном мире, обладали способностью к ясновидению и целительству.

Мумия инки

Крестьяне в Андах

Жизнь в Андах была нелегкой. Но для крестьян, которые считали, что все они произошли от общего предка, помощь друг другу считалась обычным делом.

Взаимопомощь

В деревнях инков земля была общая. Староста делил ее на участки. Жители деревни начинали с того, что все вместе обрабатывали участки стариков, калек и сирот. Затем семьи сообща помогали друг другу. Всю продукцию скотоводства, а инки разводили гуанако и лам, также распределяли по справедливости.

Земледелие на крутых склонах

В Андах крестьяне возделывали поля на вырубленных в горных склонах террасах. С помощью примитивных деревянных орудий они выравнивали землю. Поля оро-

Крестьяне рыхлили землю с помощью деревянного ножного инструмента, называемого «такла».

шались сложной системой ирригационных каналов. На террасах выращивали бобы, картофель и другие корнеплоды.

Домашний быт

Инки в основном питались тем, что выращивали сами. Пищу готовили на очаге. Главной культурой был маис. Инки использовали в пищу бобы, тыкву, помидоры, авокадо, арахис, стручковый перец и какао-бобы. Из тропических стран, расположенных на востоке от Анд, в империю привозили бананы и гуайяву. Женщины готовили хмельной напиток «чича». Они пережевывали зерна маиса, сплевывая пережеванную массу в теплую воду. Затем они зарывали сосуд в землю. Через несколько дней его выкапывали и процеживали полученную жидкость.

Юные инки

Это молодые девушки, отобранные императорскими чиновниками в деревнях. Их привозили в столицу, где некоторых из них Верховный Инка брал в свой гарем. Других он отдавал, в знак особого расположения, сановникам, доказавшим свою верность. Третьи становились жрицами, «невестами Солнца». Аклья готовили пищу для религиозных церемоний, ткали нарядные ткани из шерсти викуний для императора и его семьи.

Своим детям инки давали довольно суровое воспитание. Они боялись, как бы те не выросли слабыми, неспособными выстоять в трудной, полной испытаний жизни.

Новорожденный

Первые месяцы жизни младенец проводил в деревянной колыбели. Он мог плакать сколько угодно, но мать не брала его на руки, чтобы он не стал избалованным и капризным.

Мальчики

Население империи инков говорило на сотнях языков и наречий. Некоторые дети посещали школу ради того, чтобы выучить язык инков – кечуа. В будущем они могли стать чиновниками или, скажем, императорскими гонцами. В конце декабря в столице проводили религиозную церемонию посвящения сыновей сановников в мужчин. Мальчики проходили ритуальные испытания, такие как подъем на крутую гору. Выдержавшие испытания получали знаки, например оружие и набедренную повязку, которые показывали, что юноша способен быть воином и главой семьи.

Младенца, едва он выходил из грудного возраста, купали только в холодной воде.

Города инков

Затерянный город

Испанские завоеватели не обнаружили Мачу-Пикчу. Его открыли лишь в 1911 г. Город был поделен на секторы: кладбище, темницы, жилой район и храмы. Выше храма нашли необычной формы камень, который, видимо, использовали как солнечные часы. Поля для сельскохозяйственных культур находились вне городских стен на террасах по горным склонам.

Висячие мосты

Над горными ущельями и бурными реками инки сооружали висячие мосты. Их строили из толстых плетеных канатов.

Инки были искусными строителями. С помощью примитивных орудий труда они осваивали отдаленные долины, устраивая там террасы для земледелия, строили огромные оборонительные сооружения, перекидывали через реки и ущелья в Андах висячие мосты.

Мачу-Пикчу

Город-крепость Мачу-Пикчу, расположенный на высоте 2000 м, до сих пор поражает воображение. Остается загадкой, как его можно было построить в таком труднодоступном месте — на высоком плато меж двух вершин. Высота некоторых каменных блоков, из которых сооружены здания, превышает 7 м. Они обтесаны и подогнаны друг к другу с невероятной точностью. Можно предположить, что город был построен для женщин (может быть, как раз для аклья): здесь находят гораздо больше женских скелетов, чем мужских.

Прибытие европейцев

Конец последнего Инки

Грохот пальбы из аркебуз и топот конских копыт вызвали среди индейцев панику. Верховного Инку, которого даже касаться было нельзя, взяли в плен. Император пытался откупиться, предлагая испанцам тонны золота и серебра: ведь они так стремились владеть этими металлами! Но Писарро подозревал, что Инка готовит восстание, и велел убить его. Со смертью императора закончилась история сказочной империи инков.

*Золотые статуэтки,
часть сокровищ инков*

Торгуя с островитянами Карибского бассейна, испанский конкистадор Писарро узнал о существовании в самом сердце Анд могучей империи. Ходили слухи, что золото там просто валяется на улицах. В 1531 г. он отправился в богатую страну с отрядом из 180 солдат.

Открытие империи

Испанцы углубились в Анды. Они обнаружили там сеть мощеных дорог. По висячим мостам они переходили бездонные пропасти. И наконец нашли великолепно организованную империю. Индейцы, преодолевая первый страх, радушно встретили пришельцев. Чего хотели эти люди с бледными лицами? Чтобы узнать это, император Атауальпа решил встретиться с ними. Верховный Инка явился на встречу в пышном одеянии. Ему вручили Библию, объяснив, что это – глас Бога. Атауальпа взял книгу и поднес ее к ушам. Но, не слыша никакого голоса, отшвырнул книгу. Писарро, придя в ярость, дал сигнал к атаке.

Викинги

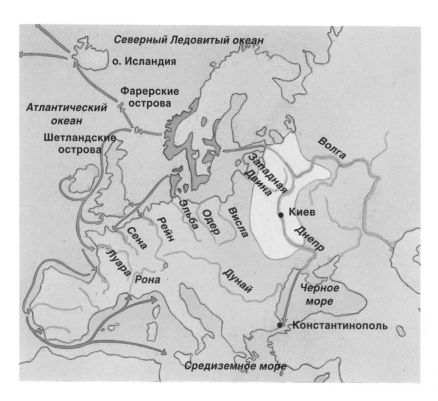

Северный Ледовитый океан

о. Исландия

Фарерские острова

Атлантический океан

Шетландские острова

Западная Двина

Волга

Эльба

Одер

Висла

Рейн

Сена

Киев

Днепр

Луара

Рона

Дунай

Черное море

Константинополь

Средиземное море

Скандинавские народы

Киевская Русь

Пути, которые викинги выбирали для своих походов

В эпоху Великого переселения народов (IV–VII вв.) часть варваров обосновалась в Скандинавии. В VIII–XI вв. они бороздили моря в поисках богатства и славы. Этих воинов-моряков звали викингами.

Набеги

Обширные территории Скандинавского полуострова холодны, неприветливы и малопригодны для земледелия. Население росло, и земли не хватало. Скандинавы отправились на поиски новых земель. Викинги были отличными моряками. В 789 г. три судна с норвежцами напали на портовый город, находящийся на южном побережье Британии. Это был первый набег викингов. После этого сотни лет они грабили приморские города от Северного моря до Средиземного. Поднимаясь по рекам, впадающим в море, викинги проникали и во внутренние районы той или иной страны.

Суда викингов

Викинги бороздили моря на быстрых маневренных судах – драккарах. Прочные суда позволяли им преодолевать большие расстояния. Вероятно, они первыми достигли Исландии, Гренландии и даже берегов Северной Америки. Разбойники возвращались в Скандинавию, груженные богатой добычей.

Новые поселения викингов

К 1100 г. набеги прекратились. Викинги осваивали завоеванные земли и смешивались (ассимилировались) с местным населением. Одни предпочитали заниматься торговлей и селились вдоль торговых путей. Другие становились земледельцами или ремесленниками.

Первые походы	Колонизация Исландии	...и затем Гренландии	Последние походы	Ассимиляция викингов среди местного населения
800	900		1000	1100	1200

Великие завоеватели

Независимо от того, были они купцами, авантюристами, искавшими новые земли, или морскими пиратами, викинги были вездесущи, появляясь по всей Европе и даже за ее пределами...

Пути на Восток

Завоеватели занимались и торговлей. Они поднимались вверх по Днепру и Волге на больших, но легких и маневренных судах с грузом мехов, меда и рабов. Река вдруг стала несудоходной? Подумаешь, большое дело. Люди тащили свои суда по земле, подкладывая деревянные катки. Скандинавы, которых на Руси называли варягами, проложили торговый путь из Балтийского в Черное море – путь «из варяг в греки».

Северная Атлантика

В IX в. викинги узнали о существовании плодородных земель к северу от Шотландии. Бросив вызов неизвестности, они отправились в море и достигли берегов Исландии. Позже, в 981 г., викинг Эйрик Рыжий приплыл к земле, которую нарек Гренландией («зеленая земля»). Есть основания полагать, что викинги добирались даже до Америки.

Завоевание Европы

Десятки судов с викингами поднимались по Рейну, по Сене, повсюду захватывая деньги, украшения, пополняя запасы продовольствия. В 885 г. они осадили Париж. Но скоро обычные грабители превратились в грозных завоевателей. В 911 г. они отняли у французского короля Нормандию.

113

Морское воинство

Штурм

Когда на горизонте возникали силуэты драккаров, людей на берегу охватывала паника. Северные люди, как их называли, наводили ужас на всех. Едва успевал прозвучать сигнал тревоги, викинги уже подходили к берегу и высаживались со своих судов. Они двигались вперед с угрожающим видом, плотной шеренгой, их разноцветные щиты образовывали непреодолимую стену.

В стычке они рассыпали град ударов мечами, копьями и секирами.

Прекрасные мореплаватели и грозные воины, викинги на драккарах пересекали моря, делая остановки там, где можно было поживиться: у монастырей и городов.

Зачем отправляться в опасное плавание?

Скудные земли, на которых жили викинги, обрабатывать было нелегко. Им приходилось покидать свои деревни, чтобы завоевывать новые, более щедрые земли. Из походов, кроме того, привозили домой ценности и несметные сокровища, отобранные у покоренных народов. Перед тем как выйти в море навстречу опасностям, викинги давали клятву верности своему предводителю.

И плыл корабль по волнам...

Находясь на борту, воины должны были работать веслами и ставить парус. Широкая лодка с плоским днищем и корпусом из плотно подогнанных досок стремительно рассекала волны. Едва вдали показывался чужой берег, моряки укрепляли на носу корабля устрашающую голову чудовища, чаще всего дракона. Этот знак должен был напугать неприятеля и помочь викингам одолеть его.

Верования викингов

Викинги отправляли богатых покойников в мир иной, сжигая их вместе с кораблями. Иногда место захоронения обозначали камнями, выложенными в виде контура корабля.

Великая битва

Викинги были уверены, что мир представляет собой арену непрекращающейся битвы между богами и ужасными великанами, которые олицетворяют силы хаоса. По легендам викингов, в конце концов человеческий мир будет разрушен: боги и люди истребят друг друга, но из старого, погибшего мира родится мир новый.

Потусторонний мир

Викинги верили, что умершие влияют на мир живых. Они являются им во сне, посылают им хорошие или дурные предзнаменования и даже возвращаются, чтобы сеять угрозы и мстить за обиды.

Кто они, боги викингов?

Скандинавы поклонялись своим богам, совершая в их честь жертвоприношения под открытым небом. Они считали, что, кроме богов, мир населяли многочисленные злые духи, которые принимали облик великанов, гномов и эльфов. Самый могущественный бог – Один, создавший людей, бог мертвых, поэтов и воинов. Одноглазый старец, он ведает судьбой каждого человека. Тор – бог плодородия: от него зависит урожай. У него зверский аппетит и отвратительный характер. Когда Тор гневается, он швыряет свой молот, и на землю обрушиваются громы и молнии.

Один и Тор

Повседневная жизнь

Викинги жили в маленьких деревнях. Среди них были и скотоводы, и кузнецы, и плотники. Жизнь их текла неспешно, занятия зависели от времени года.

Каждый день
Викинги строили деревянные прямоугольные дома. Их жилища иногда отделялись друг от друга небольшими изгородями. В доме было довольно темно: окон там, как правило, не имелось. И только очаг в середине главного помещения освещал и согревал жилище. На очаге варили рыбу и готовили овсяную кашу. Женщины обычно сидели на лавках вдоль стены, пряли шерсть, ткали грубые рубахи и покрывала, в которых нуждались все члены семьи. Спали викинги на деревянных кроватях или на земляных скамьях. Женщина у викингов имела долю в имуществе мужа и могла

владеть землей. Когда мужья уходили в поход, жены оставались полновластными хозяйками в доме.

Как проходил год?
Весной мужчины выгоняли на пастбища скот, обрабатывали землю, сеяли ячмень, рожь, овес. В самых холодных краях они ловили сетью птиц и собирали яйца. Осенью хозяева сгоняли скот, чтобы пересчитать его и устроить на зиму в хлевах. Крестьяне варили пиво и вялили треску, чтобы сложить ее на хранение в кладовой.

Спортивные состязания и пиршества
Викинги очень любили веселые пиршества. Зимой они делали лыжи, катались по замерзшим озерам или по заснеженным склонам, устраивали кулачные бои. Долгими зимними вечерами викинги играли в кости и рассказывали о своих подвигах.

Дети

Воспитание

У викингов не было школ, и мало кто из них умел читать и писать. Для большинства учеба заключалась в заучивании имен предков. Дети усваивали важные военные навыки: учились ездить верхом, плавать, драться на мечах. Впрочем, некоторых мальчиков учили буквам. Буквы скандинавского алфавита назывались рунами. Рунические послания вырезали на камнях, дереве или металле.

Между ребенком, его родителями и другими родственниками существовали очень прочные связи. Ребенок должен был доказать, что он их достоин и может защитить честь семьи, если кто-то посягнет на нее.

Появление на свет

Говоря о женщине, которая ждет ребенка, викинги употребляли выражение «она теперь не совсем одна». Рожала женщина, присев на корточки или встав на колени. Повитуха, принимавшая роды, окропляла новорожденного и поднимала его к небу, чтобы показать богам. Случалось, что отец отказывался признать ребенка. У младенца, брошенного на произвол судьбы, почти не было шансов выжить.

Имя на всю жизнь

У викинга не было фамилии. О нем говорили: сын или дочь такого-то. Имя же выбирали тщательно. Как правило, оно напоминало о каком-либо боге или животном. Имя дополнялось прозвищем. Так, среди королей викингов были Харальд Синезубый, Свейн Вилобородый, Эрик Кровавая Секира.

Рунические надписи, высеченные на камнях, рассказывают о походах викингов.

Государство Бенин

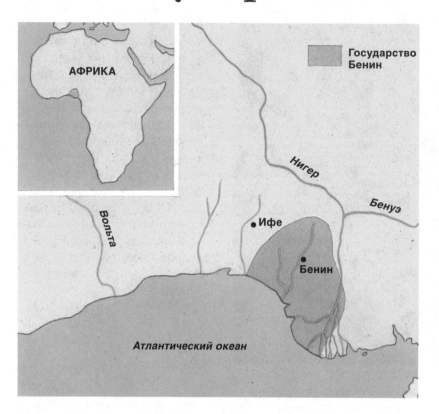

АФРИКА

Государство Бенин

Нигер

Бенуэ

Вольта

• Ифе

• Бенин

Атлантический океан

Государство Бенин

В Африке было немного государств, которые стали настоящими империями. Одно из таких государств – Бенин, оставшийся в стороне от мусульманского завоевания. Бенин, жители называли его Эдо, возник в XII в., а к XV в. расширил свою территорию от Лагоса до реки Нигер. Бенин достиг расцвета в годы правления *оба* (царя) Эвуаре Великого (1440–1473). В этот период процветала торговля и достигло совершенства искусство бронзового литья.

Многие государства в Африке обогатились благодаря торговле.

История Черной Африки до VIII в. н. э. мало изучена. Во времена, соответствующие европейскому Средневековью, в Африке развивались большие государства, возглавляемые царями. Африканские государства находились в южной части Сахары, среди тропических лесов, на берегах больших рек и озер. В XIX в. ни одно из них не смогло устоять перед натиском европейцев.

По ту сторону Сахары

Народы, жившие на южной границе Сахары, торговали с племенами берберов, которые населяли в те времена Северную Африку. Долгое время караваны верблюдов пересекали пустыню с грузом соли, орехов и золота. В V–XI вв. эта торговля стала основой богатства царства Гана, которое контролировало торговые пути. Однако в XI в. народы Северной Африки, обращенные в ислам, покорили эту часть Африки. В регионе появились новые крупные мусульманские государства, например Мали на берегах Нигера или Канем-Борну на берегах озера Чад.

Царь и бог

Лицом к народу

Каждый год, по случаю церемонии «игу», *оба* покидал свой дворец. Музыканты оповещали о его появлении звуками колокольчиков и поперечных рожков. Перед ним шагали вооруженные воины, его окружали слуги. Он появлялся при свете дня во всем своем великолепии.

Чиновники

Оба управлял настоящей империей. Во дворце его обслуживали сотни чиновников и слуг. Эдо, которые верили в жизнь после смерти, оспаривали друг у друга привилегию быть погребенными возле правителя. В деревнях власть *оба* представляли вожди и старейшины.

Кто выбирает *оба*?

После смерти *оба* вожди и старейшины выбирали из числа его сыновей преемника. В ходе торжественной церемонии новый властитель имитировал борьбу с вождями деревень. После этого он становился единоличным правителем.

Оба – царь Бенина. Он олицетворял могущество и богатство царства. Оба властвовал, опираясь на целый сонм чиновников.

Оба – бог, воплотившийся в человека

Подданные почитали царя как бога, верили в его магическую силу. Считалось, что, если он надевал жемчужное ожерелье из 28 ниток, все желания, произнесенные в его присутствии, должны были исполниться. Народ Эдо поклонялся этому живому богу, который, как они думали, не ел, не пил и не спал. После смерти царя жрецы отливали из бронзы его голову и помещали ее на жертвенник в царском дворце.

Город художников

Город Бенин был блистательной столицей, символом величественной империи. Дворец оба был наполнен шедеврами. Головы оба, отлитые из бронзы, своей красотой превосходили все другие предметы искусства.

Город ремесленников

Глубокий ров и двойная ограда из бревен защищали город от врагов. За оборонительными укреплениями проходили широкие прямые улицы, по сторонам которых стояли двухэтажные дома. Каждый квартал населяли ремесленники какой-либо одной профессии: резчики по слоновой кости и по дереву, изготовители барабанов, кожевенники, ткачи, кузнецы, мастера бронзового литья.

В XIV в. литейщик из соседнего Ифе пришел в Бенин, чтобы обучить его жителей секретам мастерства. Он слепил из глины голову, нанес на глину тонкий слой воска, а сверху снова покрыл изделие глиной. При нагревании воск расплавился и вытек, а в образовавшуюся пустоту мастер залил расплавленную бронзу. Наконец, когда форма остыла, он осторожно разбил ее. Появилась великолепная бронзовая голова.

Искусство, посвященное *оба*

Искусство – привилегия, которую *оба* оставлял себе. Он единственный имел право носить коралловое ожерелье. Ни одному ремесленнику не позволялось отливать что-либо из бронзы или вырезать из слоновой кости без ведома и согласия *оба*. Красота и благородство металла символизировали его единоличную власть, а слоновая кость – чистоту. Маски и статуэтки из дерева, слоновой кости и бронзы, которыми был полон дворец, восхищали посетителей. Бронзовые изделия мастеров Бенина часто сравнивают с работами античных скульпторов.

Бронзовая голова оба

Содержание

ХРОНОЛОГИЯ

МЕСОПОТАМИЯ

ДРЕВНИЙ ЕГИПЕТ

ДРЕВНЯЯ ГРЕЦИЯ

Цивилизации не рождаются и не умирают за один день. Поэтому историкам трудно датировать точно их начало и конец. Относительно Месопотамии, например, археологи не могут с уверенностью сказать, когда там появилась письменность: в 3300 г. до н. э. или в 3200 г. до н. э. А значит, они не могут и точно зафиксировать начало этой цивилизации, которая на сегодняшний день считается самой древней. Возможно, свидетельства существования еще более древних цивилизаций пока таятся в земле!

0   1000   2000

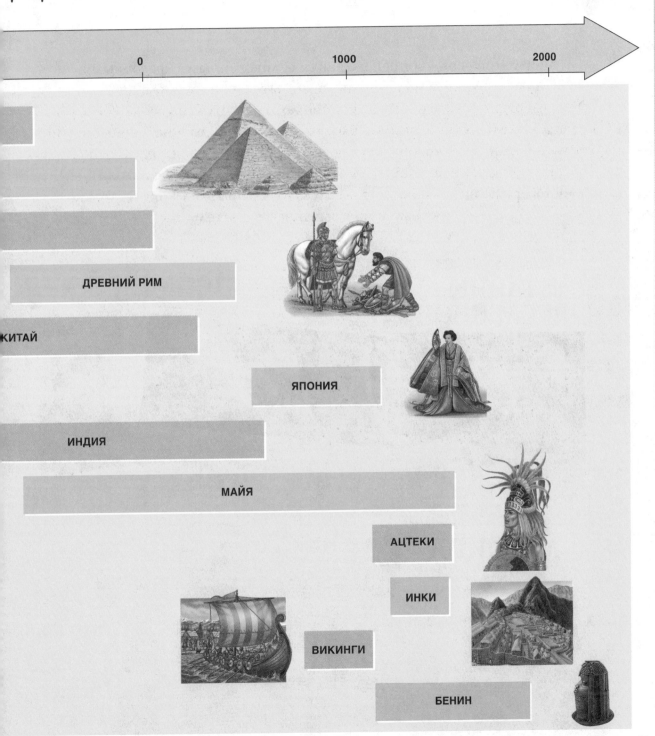

ДРЕВНИЙ РИМ

КИТАЙ

ЯПОНИЯ

ИНДИЯ

МАЙЯ

АЦТЕКИ

ИНКИ

ВИКИНГИ

БЕНИН

ДЕТСКАЯ ЭНЦИКЛОПЕДИЯ
·МАХАОН·

Книги этой серии сопровождаются великолепными красочными иллюстрациями и насыщены познавательной информацией.

Они содержат те необходимые знания, которые должен усвоить ребенок в рамках школьной программы. Вместе с тем это настоящие энциклопедии открытий, благодаря которым юные читатели узнают, насколько необычна и разнообразна наша Земля. Логичная структура и ясное изложение, достоверные интересные факты сделают чтение этих книг не только полезным, но и чрезвычайно увлекательным.

ДЕТСКАЯ ЭНЦИКЛОПЕДИЯ
·МАХАОН·

Книги этой серии:

ЭНЦИКЛОПЕДИЯ ЗНАТОКА

ЭНЦИКЛОПЕДИЯ ЗНАТОКА
КОСМОС

ЭНЦИКЛОПЕДИЯ ЗНАТОКА
НАША ПЛАНЕТА

Книги этой серии содержат ответы на тысячи разных «что?», «как?» и «почему?».

Подробные и увлекательные объяснения способны удовлетворить самых любознательных читателей. Любопытные факты, интересные фотографии и остроумные рисунки делают понятными загадочные явления природы и открывают бесконечное разнообразие окружающего мира.

Для среднего школьного возраста.

ЭНЦИКЛОПЕДИЯ ЗНАТОКА

Другие книги в этой серии:

Первобытный человек

Зеленая планета

Наша планета

Планета открытий

Тело человека

Голубая планета

Живая планета

Справочное издание

Для среднего школьного возраста

Детская энциклопедия «Махаон»

Цивилизации Древнего мира

ООО «Издательская Группа «Азбука-Аттикус» —
обладатель товарного знака Machaon
119334, Москва, 5-й Донской проезд, д. 15, стр. 4

Филиал ООО «Издательская Группа «Азбука-Аттикус» в г. Санкт-Петербурге
191123, Санкт-Петербург, Воскресенская набережная, д. 12, лит. А

ЧП «Издательство «Махаон-Украина»
04073, Киев, Московский проспект, д. 6, 2-й этаж

ЧП «Издательство «Махаон»
61070, Харьков, ул. Ак. Проскуры, д. 1

ПО ВОПРОСАМ РАСПРОСТРАНЕНИЯ ОБРАЩАЙТЕСЬ:

В Москве:
ООО «Издательская Группа «Азбука-Аттикус»
Тел. (495) 933-76-01, факс (495) 933-76-19
E-mail: sales@atticus-group.ru; info@azbooka-m.ru

В Санкт-Петербурге:
Филиал ООО «Издательская Группа «Азбука-Аттикус» в г. Санкт-Петербурге
Тел. (812) 327-04-55
E-mail: trade@azbooka.spb.ru; atticus@azbooka.spb.ru

В Киеве:
ЧП «Издательство «Махаон-Украина»
Тел./факс (044) 490-99-01
e-mail: sale@machaon.kiev.ua

В Харькове:
ЧП «Издательство «Махаон»
Тел. (057) 315-15-64, 315-25-81
e-mail: machaon@machaon.kharkov.ua

www.azbooka.ru; www.atticus-group.ru

128 с., с ил.

Подписано в печать 15.07.2015. Формат 84×100 $^1/_{16}$.
Бумага офсетная. Печать офсетная. Усл. печ. л. 12,48.
Доп. тираж 3000 экз. S-DE-15563-02-R. Заказ № 5563.

Отпечатано в филиале «Тверской полиграфический комбинат
детской литературы» ОАО «Издательство «Высшая школа»
170040, г. Тверь, проспект 50 лет Октября, д. 46
Тел.: +7 (4822) 44-85-98. Факс: +7 (4822) 44-61-51